MARCEL TRUDEL, **D. ès L.**, M.S.R.C.

titulaire de recherches
à l'Université d'Ottawa

ATLAS DE LA NOUVELLE-FRANCE

AN ATLAS OF NEW FRANCE

Les Presses de l'université Laval
1968

DU MÊME AUTEUR — BY THE SAME AUTHOR

L'Influence de Voltaire au Canada. 2 vol. Montréal, Fides, 1945.

Vézine. Roman. Montréal, Fides, 1946, 1962.

Louis XVI, le Congrès américain et le Canada, 1774–1789. Québec, les Éditions du Quartier latin, 1949.

Histoire du Canada par les textes. Montréal, Fides, 1952. En collaboration avec Guy Frégault et Michel Brunet.

Le Régime militaire dans le Gouvernement des Trois-Rivières, 1760–1764. Trois-Rivières, les Éditions du Bien public, 1952.

L'affaire Jumonville. Québec, les Presses de l'université Laval, 1953. *The Jumonville Affair,* 1954.

Chiniquy. Trois-Rivières, les Éditions du Bien public, 1955.

Le Régime seigneurial. Ottawa, la Société historique du Canada, 1956. *The Seigneurial Regime,* 1956.

Champlain. Montréal, Fides, 1956, 1968.

L'Église canadienne sous le régime militaire, 1759–1764.
    Vol. I: *Les problèmes.* Montréal, les Études de l'Institut d'Histoire de l'Amérique française, 1956.
    Vol. II: *Les institutions.* Québec, les Presses de l'université Laval, 1957.

L'Esclavage au Canada français. Québec, les Presses de l'université Laval, 1960.

Histoire de la Nouvelle-France.
    Vol. I: *Les vaines tentatives, 1524–1603.* Montréal, Fides, 1963, 1965.
    Vol. II: *Le comptoir, 1604–1627.* Montréal, Fides, 1966.

Initiation à la Nouvelle-France : histoire et institutions. Montréal, Holt, Rinehart et Winston, 1968.

Jacques Cartier. Montréal, Fides, 1968.

À
Madeleine et Bernard.

AVANT-PROPOS

Cet *Atlas de la Nouvelle-France* est le résultat d'une refonte complète de notre *Atlas historique du Canada français, des origines à 1867.* Publié en 1961, ce dernier n'accordait à la période du régime anglais qu'un traitement fort pauvre. Les cartes qu'il contenait étaient publiées sans aucune présentation et, pour les consulter, il fallait même déplier plusieurs d'entre elles.

Nous avons donc apporté à cette œuvre des modifications considérables. Puisque nous venons de publier une *Initiation à la Nouvelle-France* et que l'on porte de plus en plus d'intérêt à l'étude de l'Amérique française, nous avons cru opportun de limiter notre collection aux plus importantes cartes de la Nouvelle-France (entendant par là les terres françaises de l'Amérique du Nord). Nous avons donc, en éliminant aussi certaines cartes du XVIᵉ siècle, laissé de côté tout ce qui se rapportait à la période du régime anglais; nous les avons remplacées par des cartes du régime français. De plus, et ce devrait être un grand progrès pédagogique sur le précédent *Atlas,* chaque carte est précédée d'un commentaire (utilité générale de la carte pour la connaissance de la Nouvelle-France, données importantes à faire ressortir, points d'intérêt particulier) qui permet à l'usager de profiter plus rapidement de l'outillage cartographique. Enfin, nous avons voulu rendre la consultation plus commode en réduisant quelque peu ou en reproduisant sur deux pages les cartes qu'auparavant il fallait déplier.

Précédé d'une introduction qui réunit huit cartes antérieures à la première apparition de la Nouvelle-France, l'*Atlas* est divisé en six parties :

la Nouvelle-France du XVIᵉ siècle : 19 cartes
la Nouvelle-France du XVIIᵉ siècle : 12 cartes
la Nouvelle-France du XVIIIᵉ siècle : 19 cartes
la conquête de la Nouvelle-France : 9 cartes
le peuplement de la Nouvelle-France laurentienne : 14 cartes
les villes de la Nouvelle-France : 14 cartes.

Le XVIᵉ siècle occupe ici une place importante : c'est la période où apparaissent les premiers tracés de ce territoire et c'est l'époque, avec le premier tiers du XVIIᵉ siècle, où se fixe l'essentiel de la toponymie française. Les deux derniers tiers du XVIIᵉ siècle sont moins intéressants à cet égard; du reste, ils correspondent à un moment plutôt faible de la cartographie nord-américaine, sauf dans le court temps des explorations de Jolliet et de Cavelier de La Salle, qui ajoutent à la Nouvelle-France une immense région : la Louisiane.

Le XVIIIᵉ siècle est mieux servi, dans notre *Atlas,* que le siècle précédent, parce que c'est le meilleur moment pour étudier la Nouvelle-France : elle cesse, en somme, de se modifier; on peut l'observer au repos. Ce repos est bientôt interrompu par la guerre de la conquête : nous avons voulu, au moyen de quelques cartes, faciliter la compréhension des événements.

Quant au peuplement, nous nous en sommes tenu, par système, au peuplement du Saint-Laurent. C'est celui qui se prête le mieux à la cartographie, à cause du régime seigneurial et de l'organisation paroissiale qui s'appliquent à un ensemble relativement vaste; d'ailleurs, c'est dans le pays laurentien que vivent près de 90 pour cent de la population de la Nouvelle-France.

Enfin, nos villes, à cause de leur importance militaire ou de leur rôle administratif (toutes nos villes sont des capitales), méritaient un traitement particulier : nous avons donc eu soin de montrer Louisbourg, Québec, les Trois-Rivières, Montréal, Détroit et Nouvelle-Orléans soit à diverses étapes de leur évolution, soit dans leur état à peu près définitif.

Comme nous l'écrivions dans l'avant-propos de 1961, nous n'avons pas visé à faire une œuvre savante de cartographe : nous voulons simplement rendre accessible à l'enseignement et à la recherche la consultation de cartes rares ou intéressantes. Le travail historique ne peut se concevoir sans cartes ni sans cartes qui soient d'époque : elles sont, du reste, des documents au même titre que les lettres, les journaux et les minutes notariées. Et peut-être, devant quelque carte ancienne, l'un ou l'autre de nos étudiants trouvera-t-il le goût de cette recherche qui, malgré le dur labeur qu'elle exige, apporte toujours, à celui qui la fait, un plaisir infini.

Lucerne, ce 20 décembre 1967.   M. T.

FOREWORD

An Atlas of New France is the result of a complete revision of our *Atlas historique du Canada français, des origines à 1867,* published in 1961, in which the period of the English régime was treated too briefly, the maps were presented without commentary and it was necessary to unfold a number of them for consultation.

The present work therefore contains a considerable number of modifications. With the recent publication of our *Initiation à la Nouvelle-France* and with evidence of increasing interest in the study of the French presence in America, it has appeared to us advisable to limit our collection to the most important maps of New France (meaning the French possessions in North America). A number of 16th-century maps and all those representing the period of the English régime have therefore been replaced by additional maps of the French régime. Moreover, this work should prove to be of considerably greater scholastic value than its predecessor, since the significance of each map for a fuller understanding of New France, important facts to be stressed and details of particular interest are brought to notice in the commentaries which precede each map. It is hoped that the reader may thereby be enabled to make quicker and more effective use of the cartographic medium. We hope, besides, to have increased the convenience of consultation by reducing slightly or spreading over two pages those maps which it was previously necessary to unfold.

With an introductory section consisting of eight maps predating the appearance of New France, this *Atlas* is divided into six parts:

New France in the Sixteenth Century: 19 maps
New France in the Seventeenth Century: 12 maps
New France in the Eighteenth Century: 19 maps
The Fall of New France: 9 maps
The Settlement of New France of the St. Lawrence: 14 maps
The Cities and Towns of New France: 14 maps

The 16th century occupies an important place in this work. This was the period when the definition of the territory began to take form; with the first third of the 17th century, it was also the formative period for the essential elements of French place-nomenclature. The later two-thirds of the 17th century are of less interest in this respect, a time, moreover, of little progress in North American cartography, with the exception of the brief period of exploration by Jolliet and Cavelier de La Salle, who added the immense region of Louisiana to New France.

The 18th century offers the best opportunities for the study of New France and has therefore received fuller treatment in this *Atlas* than the preceding century. The colony had, in short, ceased to be in a state of flux, and it can thus be observed in a period of stability. This stability was soon to be shattered by the conquest; it is hoped that a number of maps included here will contribute to an understanding of the events leading to the fall of New France.

In the section devoted to settlement, we have purposely restricted our study to the settlement of the St. Lawrence Valley. This is the region which best lends itself to cartographic representation, the seigniorial régime and the division of the country into parishes affecting an area of relatively vast proportions. Besides, it was the St. Lawrence region which accounted for almost 90 percent of the population of New France.

Last but not least, the cities and towns, all of which were administrative capitals, deserve particular attention by virtue of their military or administrative importance. We have therefore made a point of showing Louisbourg, Quebec, Trois-Rivières, Montreal, Detroit and New Orleans either at different stages of their development or in their more or less definitive state.

As we stated in our foreword of 1961, we have not attempted to make this a scholarly work of cartography. We have tried simply to make the consultation of rare and useful maps accessible for purposes of teaching and research. Historical study is inconceivable without maps, particularly maps of the period under study; their documentary value, moreover, is just as great as that of letters, journals and authenticated records. And perhaps a student or two, while poring over some ancient map, may discover an appetite for research, which, for all the hours of patient labour it demands, unfailingly yields to him who pursues it the most infinite of pleasures.

Lucerne, December 20, 1967.   M. T.

TABLE DES MATIÈRES

CONTENTS

INTRODUCTION

Avant la Nouvelle-France

Sur la route des Européens, venus vers l'ouest à la recherche de l'Asie, est apparue peu à peu une barrière continentale : sous les tropiques, les premiers explorateurs du XVIᵉ siècle l'appellent *Amérique;* sous les latitudes septentrionales, ils disent *Terres Neuves*.

INTRODUCTION

Before New France

Little by little, a continental barrier took form in the path of European explorers seeking a westward route to Asia. In the tropics this barrier was called *America* by the early 16th-century explorers, while in northern latitudes they used the term *New Found Landes*.

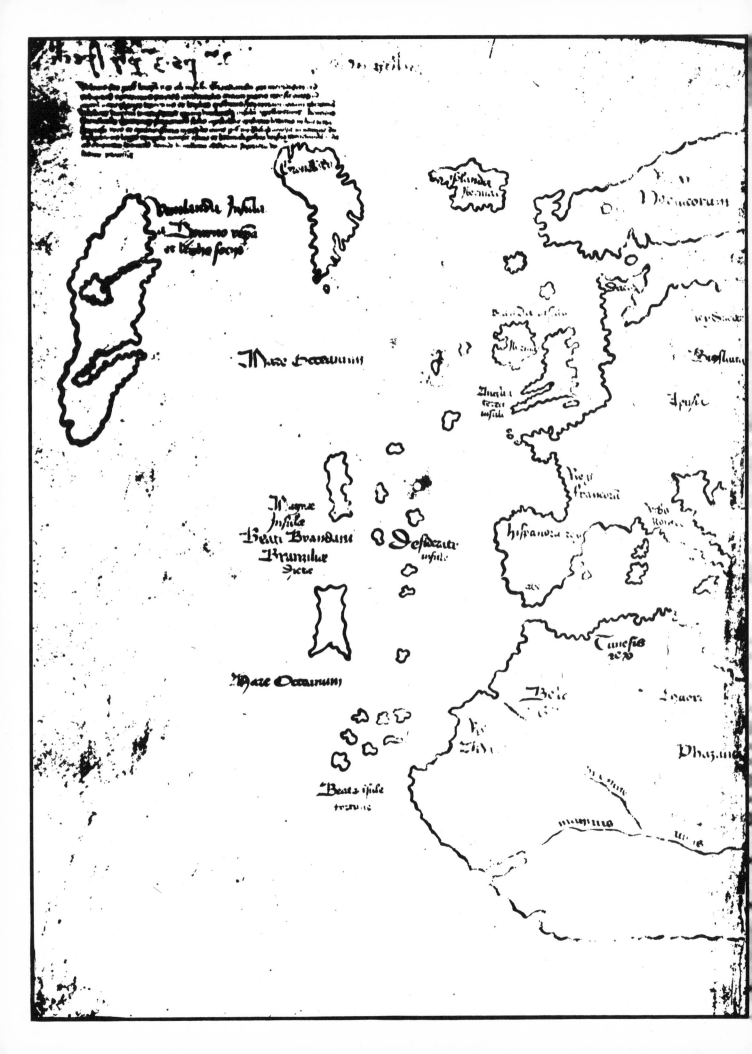

1 — Le Vinland selon une carte médiévale

(extrait d'une carte antérieure à 1440, découverte en 1965 et publiée la même année par R. A. SKELTON, Thomas E. MARSTON et George D. PAINTER, dans *The Vinland Map and the Tartar Relation*, aux Presses de l'Université Yale)

A l'ouest du Groenland, une île appelée *Vinland* : son littoral correspond assez bien à la façade de l'Amérique du Nord, depuis le détroit d'Hudson jusqu'à Terre-Neuve ; la deuxième large échancrure serait le détroit de Belle-Isle.

1—Vinland as Shown by a Medieval Map

(part of a map predating 1440 which was discovered in 1965 and published in the same year by R.A. SKELTON in *The Vinland Map and the Tartar Relation*, Yale University Press)

To the west of Greenland appears an island called *Vinland*. Its eastern coastline corresponds remarkably to that of North America between Hudson Strait and Newfoundland. The second large indentation no doubt represents the Strait of Belle Isle.

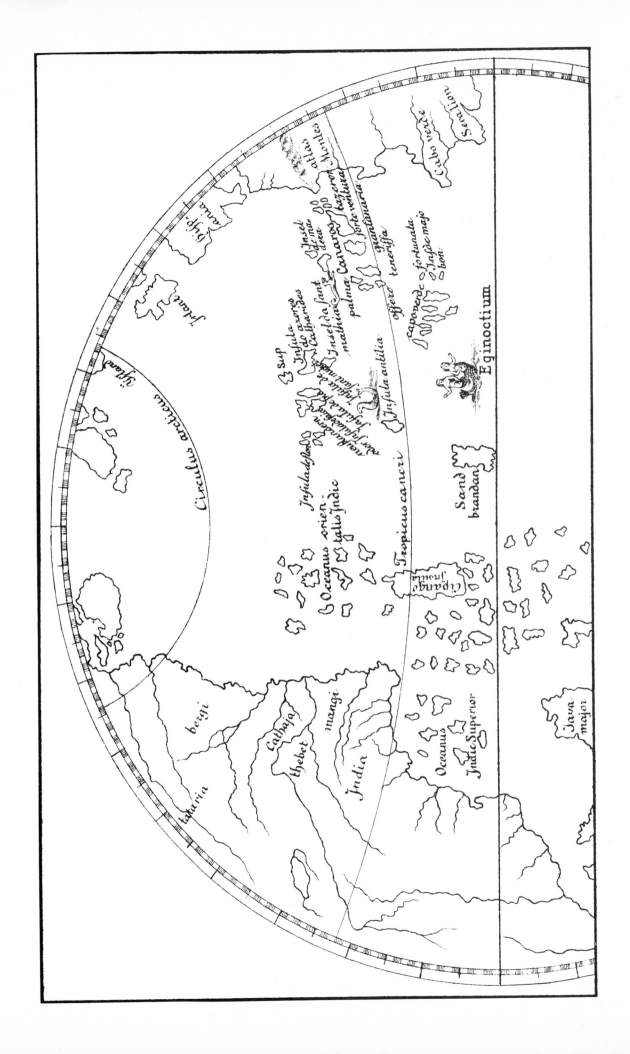

Eginoctium

2 — L'Atlantique, océan commun à l'Europe et à l'Asie

(selon le globe de Martin Behaim en 1492 : reproduit des *Collections of the Maine Historical Society, Second Series*, vol. I, p. 147)

Ce globe, fait en 1492 avant le premier voyage de Colomb, représente l'Atlantique comme une mer qui sépare l'Europe de l'Asie, sans barrière continentale. C'est ainsi que l'avait vue Aristote ; le cardinal D'AILLY en reprend l'hypothèse en 1410 dans son *Ymago Mundi;* en marge du même ouvrage, Colomb écrira : « Entre l'extrémité de l'Espagne et le commencement de l'Inde se trouve une petite mer, et susceptible d'être traversée en peu de jours. »

En face du Cipango (avant-poste de l'Asie), les îles Antilia et Saint-Brendan, imaginées par le moyen âge.

2—The Atlantic as an Ocean Separating Europe and Asia

(according to Martin Behaim's terrestrial globe of 1492; reproduced from *Collections of the Maine Historical Society, Second Series*, Vol. I, p. 147)

This globe, constructed in 1492 before the first voyage of Columbus, represents the Atlantic as a sea separating Europe from Asia, with no continental barrier. This is how Aristotle had seen it, and Cardinal D'AILLY had taken up the same hypothesis in 1410 in his *Ymago Mundi;* in the margin of this work, Columbus wrote, "Between the farthest extremity of Spain and the beginning of India there is a small sea which may be crossed in a matter of a few days."

Opposite Cipango, the outpost of Asia, are the islands of Antilia and St. Brendan as they were imagined in the Middle Ages.

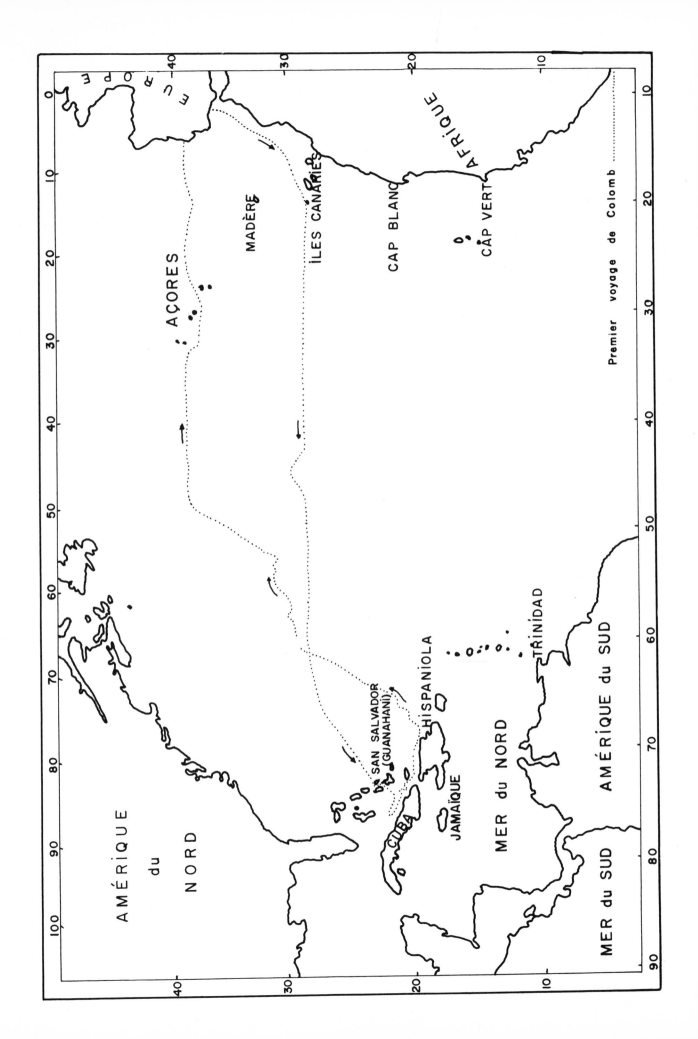

18

3 — Itinéraire de Christophe Colomb en 1492-1493

(établi par Marcel Trudel)

Colomb descend aux Canaries et file à l'ouest. Après sa découverte des Antilles, qu'il situe le long du continent asiatique, il espère pouvoir remettre au Grand Khan les lettres des princes d'Espagne. Pour le retour, il remonte au nord-est passer par les Açores.

3—Christopher Columbus' Voyage of 1492-1493

(plotted by Marcel Trudel)

Columbus sailed south to the Canaries, then struck out westward. Following his discovery of the West Indies, which he situated along the coast of continental Asia, he hoped to place letters from the princes of Spain in the hands of the Great Khan. In returning, he sailed north-eastward and touched at the Azores.

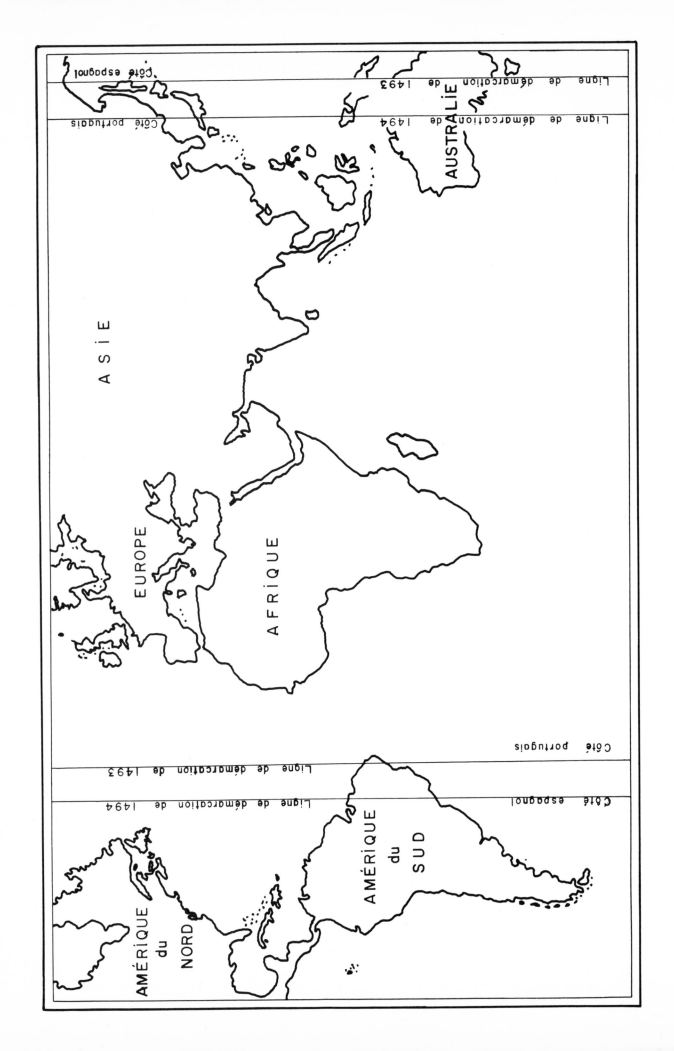

20

4 — Le partage du monde entre l'Espagne et le Portugal

En 1493, le pape Alexandre VI réserve à l'Espagne et au Portugal toutes les terres qui ne sont pas encore possédées par un prince chrétien; puis, en 1494, la ligne de démarcation est déplacée vers l'ouest.

Les terres et mers, situées à l'est de cette ligne, deviennent le monopole du Portugal; celles de l'ouest, monopole de l'Espagne. C'est pourquoi, lorsqu'on découvre les *Terres Neuves,* les géographes portugais s'efforcent de prouver qu'elles sont à l'est de cette ligne; les géographes espagnols auront la partie belle en les plaçant à l'ouest.

4—The Partition of the World between Spain and Portugal

In 1493, Pope Alexander VI reserved to Spain and Portugal all those lands not already in the possession of a prince of the Christian faith.

A line of demarcation was established, and then in 1494 reestablished farther west. Lands and seas situated to the east of this line became the monopoly of Portugal and those to the west of it fell to Spain. This is why, upon the discovery of *New Found Landes,* Portuguese geographers strove to show that they lay to the east of the line, while Spanish geographers, not to be outdone, would situate them to the west of it.

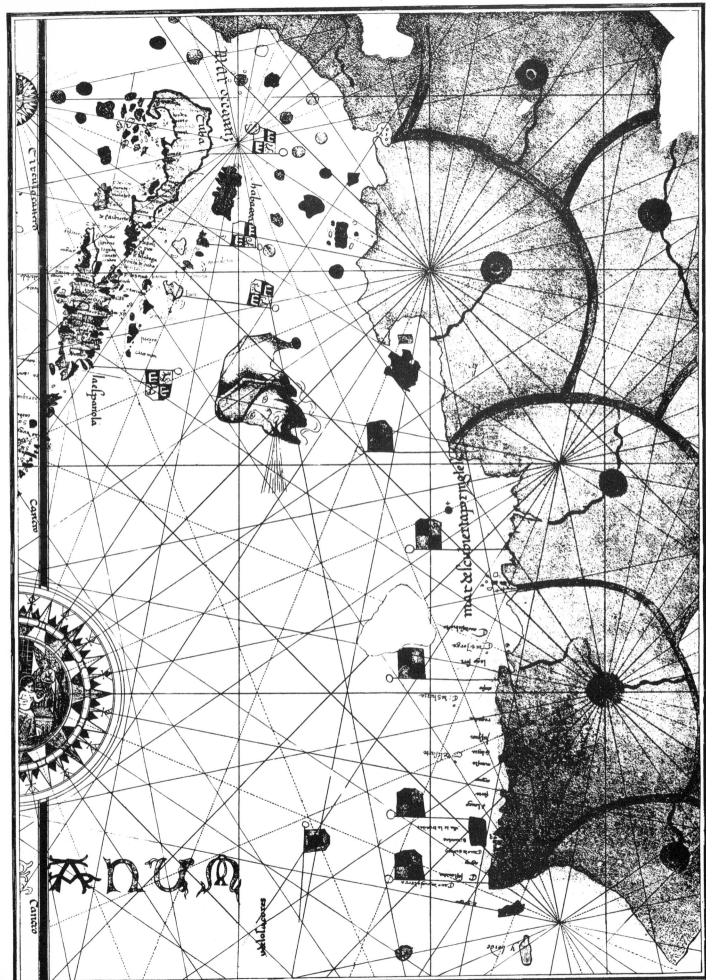

5 — La première (?) figuration du littoral nord-est de l'Amérique, en 1500

(Archives publiques du Canada)

L'Espagnol Juan de La Cosa se serait basé sur une carte de Jean Cabot pour dessiner le littoral que le *Matthew* aurait longé en 1497. Malheureusement, l'original de La Cosa et la carte de Cabot ont disparu : ce que nous reproduisons ici n'est que la copie d'un modèle perdu, mais cette copie a servi à l'Angleterre dans ses revendications.

5—The First (?) Representation of the North-east Coast of America, 1500

(Public Archives of Canada)

It was on a map by Jean Cabot that the Spaniard Juan de La Cosa is thought to have based his tracing cf the coastline skirted by the *Matthew* in 1497. Unfortunately, both La Cosa's original and Cabot's map have been lost, and the map reprcduced here is only a copy. Nevertheless, this copy was used by the English in support of their claims.

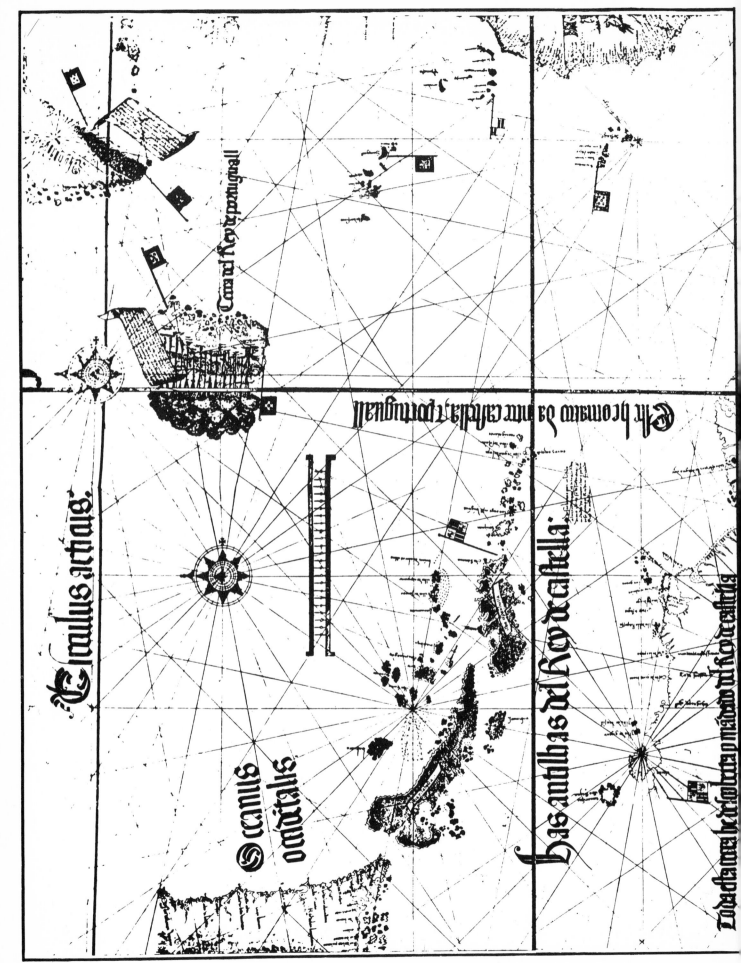

24

6 — L'île de l'Amérique du Nord, vers 1502

(extrait d'une carte nommée d'après l'Italien Alberto Cantino et reproduite de HARRISSE, *Discovery of North America*, planche VI)

Entre le Groenland (au nord-est) et l'Amérique espagnole (au sud-ouest), le cartographe représente la Terre-Neuve, qui est tout ce qu'on sait de l'Amérique du Nord, comme une île dont il attribue la possession au Portugal. L'auteur a eu soin de situer cette terre à l'est de la ligne de démarcation (seul le dessin des arbres dépasse la ligne) : tout ce qui est à l'est appartient au Portugal ; ce qui est à l'ouest, à l'Espagne.

6—The Island of North America, about 1502

(part of a map named after the Italian Alberto Cantino and reproduced from HARRISSE, *Discovery of North America*, plate VI)

Between Greenland (in the north-east) and Spanish America (in the south-west), the cartographer shows Newfoundland, which was all that was then known of North America, as an island whose possession he attributes to Portugal. He has been careful to situate it to the east of the line of demarcation, only the drawing of trees projecting beyond this line; everything to the east of the line belongs to Portugal, and anything to the west of it is Spain's.

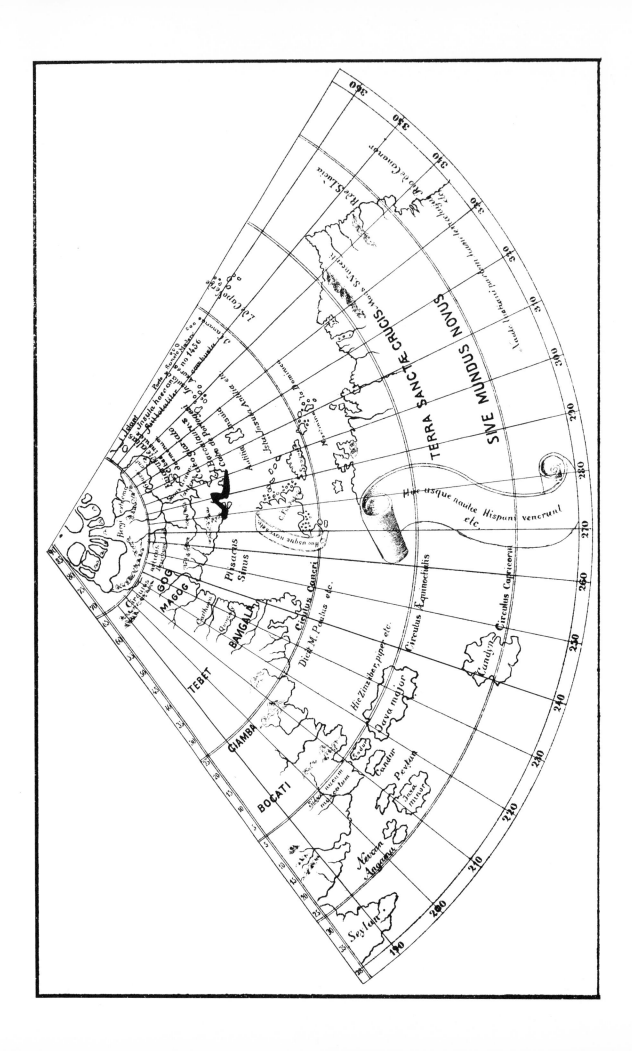

7 — Le Nouveau-Monde en 1508

(carte de Johann Ruÿsch; Archives publiques du Canada)

L'Amérique du Nord se confond encore avec l'Asie, dont Terre-Neuve est devenue un cap; le golfe du Mexique et la mer de Chine ne font qu'un. Quant à l'Amérique du Sud, dite ici *Terre de sainte Croix,* le cartographe la représente comme une île.

7—The New World in 1508

(map by Johannes Ruÿsch; Public Archives of Canada)

North America is once again construed as part of Asia, of which Newfoundland has become a cape. The Gulf of Mexico and the China Sea are one and the same. The cartographer represents South America as an island, called here *Land of the Holy Cross.*

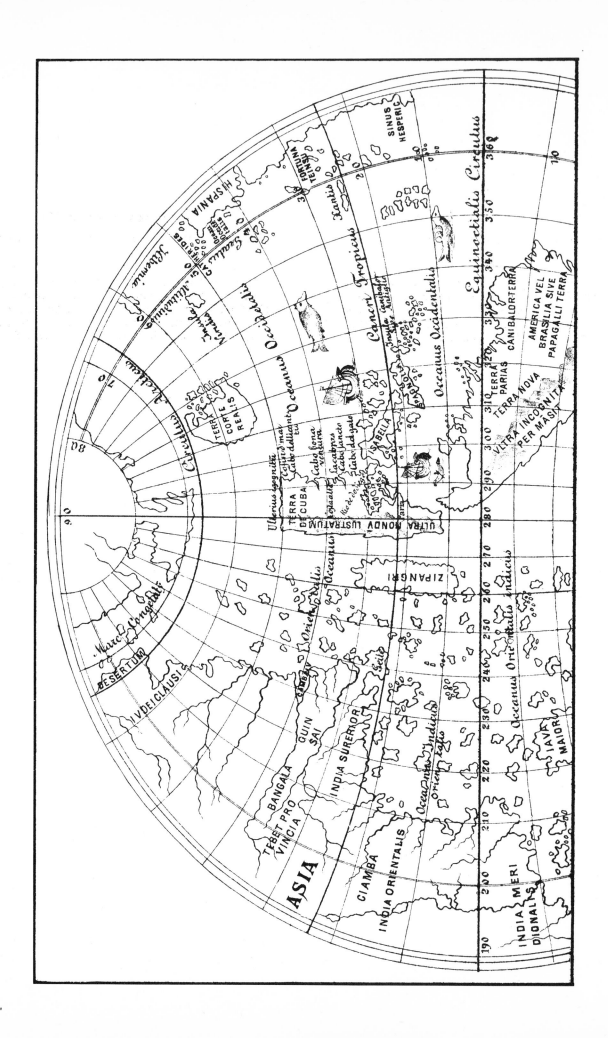

28

8 — Le Nouveau-Monde en 1520

(carte de Johann Schöner; Archives publiques du Canada)

L'Amérique du Nord, appelée *Terre de Corte Real,* est devenue une île, ainsi que l'Amérique centrale; l'Amérique du Sud, la seule à porter le nom *Amérique,* est toujours une île. On suppose encore (ce que voudra vérifier Verrazano) qu'on peut aller en Asie en passant entre la Floride et la Terre de Corte Real, de même qu'on imagine un passage entre l'Amérique centrale et l'Amérique du Sud.

8—The New World in 1520

(map by Johannes Schöner; Public Archives of Canada)

North America has become an island, called *Corte Real's Land,* as has Central America; South America, which alone bears the name *America,* is still an island. At this time it was still presumed that Asia could be reached by way of a passage between Florida and Corte Real's Land (as Verrazano was to try to prove), or by passing between Central America and South America.

PREMIÈRE PARTIE

La Nouvelle-France du XVIe siècle

PART ONE

New France in the Sixteenth Century

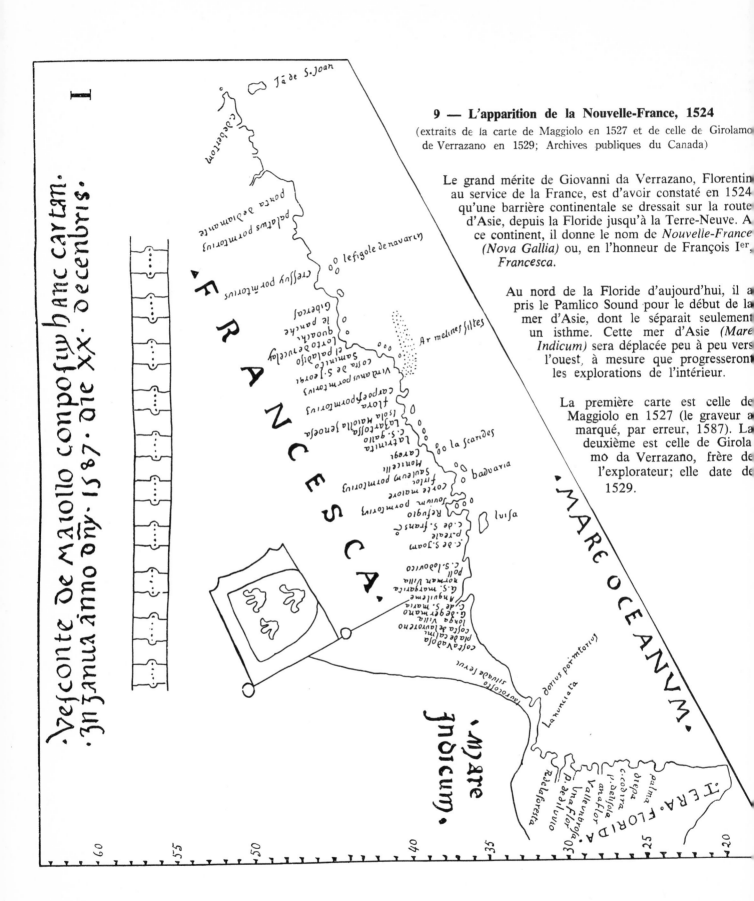

9 — L'apparition de la Nouvelle-France, 1524

(extraits de la carte de Maggiolo en 1527 et de celle de Girolamo de Verrazano en 1529; Archives publiques du Canada)

Le grand mérite de Giovanni da Verrazano, Florentin au service de la France, est d'avoir constaté en 1524 qu'une barrière continentale se dressait sur la route d'Asie, depuis la Floride jusqu'à la Terre-Neuve. A ce continent, il donne le nom de *Nouvelle-France (Nova Gallia)* ou, en l'honneur de François Ier, *Francesca*.

Au nord de la Floride d'aujourd'hui, il a pris le Pamlico Sound pour le début de la mer d'Asie, dont le séparait seulement un isthme. Cette mer d'Asie *(Mare Indicum)* sera déplacée peu à peu vers l'ouest, à mesure que progresseront les explorations de l'intérieur.

La première carte est celle de Maggiolo en 1527 (le graveur a marqué, par erreur, 1587). La deuxième est celle de Girolamo da Verrazano, frère de l'explorateur; elle date de 1529.

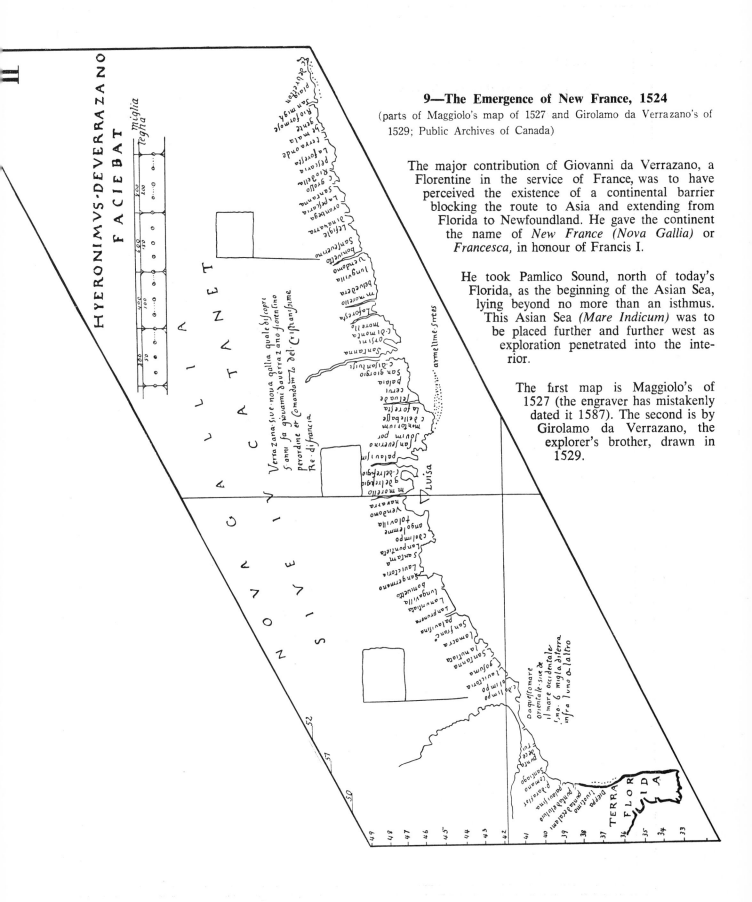

9—The Emergence of New France, 1524

(parts of Maggiolo's map of 1527 and Girolamo da Verrazano's of 1529; Public Archives of Canada)

The major contribution cf Giovanni da Verrazano, a Florentine in the service of France, was to have perceived the existence of a continental barrier blocking the route to Asia and extending from Florida to Newfoundland. He gave the continent the name of *New France (Nova Gallia)* or *Francesca,* in honour of Francis I.

He took Pamlico Sound, north of today's Florida, as the beginning of the Asian Sea, lying beyond no more than an isthmus. This Asian Sea *(Mare Indicum)* was to be placed further and further west as exploration penetrated into the interior.

The first map is Maggiolo's of 1527 (the engraver has mistakenly dated it 1587). The second is by Girolamo da Verrazano, the explorer's brother, drawn in 1529.

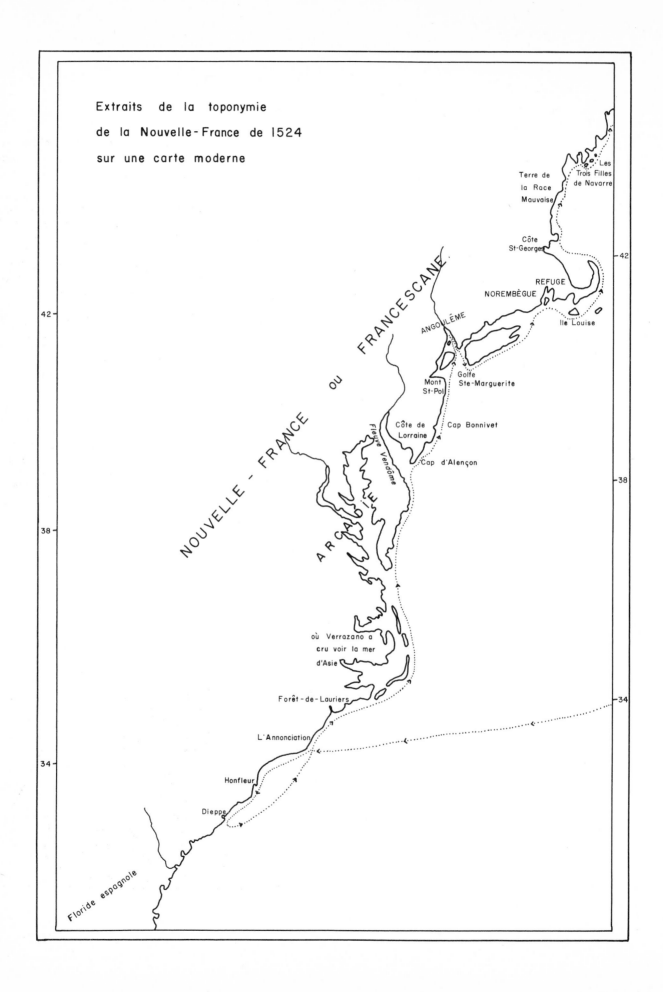

Extraits de la toponymie
de la Nouvelle-France de 1524
sur une carte moderne

Les
Trois Filles
de Navarre

Terre de
la Race
Mauvaise

Côte
St-Georges

REFUGE

NOREMBÈGUE

ANGOULÊME

Ile Louise

Golfe
Ste-Marguerite

Mont
St-Pol

Côte de   Cap Bonnivet
Lorraine

Cap d'Alençon

NOUVELLE - FRANCE OU FRANCESCANE

ARCADIE

Fleuve Vendôme

où Verrazano a
cru voir la mer
d'Asie

Forêt-de-Lauriers

L'Annonciation

Honfleur

Dieppe

Floride espagnole

34

10 — Toponymie partielle de la Nouvelle-France, 1524

(reconstituée sur une carte moderne par Marcel Trudel)

Verrazano inscrit tout le long de la côte une toponymie française : en Caroline du Sud, Dieppe et Honfleur ; dans la baie de Chesapeake, l'*Arcadie,* toponyme qu'on transportera vers le nord pour le transformer, sous l'influence de consonances micmacques, en *Acadie ;* la région de New-York est appelée *Angoulême.*

10—A Partial Place-Nomenclature of New France, 1524

(reconstituted on a modern map by Marcel Trudel)

Verrazano established a French nomenclature all along the coast: Dieppe and Honfleur in South Carolina ; *Arcadie* in Chesapeake Bay, which was destined to be shifted north and become *Acadie* (Acadia) as modified by Micmac phonemics ; the region of New York was called *Angoulême.*

MARE TABIN
CIRCVLVS   ARCTICVS
BACCALEARVM
REG
ISLANDA
GROENLANT

CINGICOLE   TERRA FRANCESCA
DESERTVM   NVPER LVSTRATA
LOP
CAMPESTRIA   PYRA REGIO
R. DE LA PARMA
CANVPOLLATINA   R. DE BLEAR   NOVA FLANDRIA
CAMVL R   PROVINCIA
TANGVT   ASIA   R PANICO   TERRA FLORIDA   OCCEANVS OCCIDENTALIS
ORIENTALIS
TEBETH   CATHAY   CHAM FL   VANCVM
DECYSCH   BANGVLA   SINVS S. MICHAELIS   HABACEA   INS.   MADERA
ACVLVACAN   AMCEL   CANARINS
HISPANIA NOVA S. MICHAEL   SACRIFICIORVM   TROPICVS CANCRI   FORTVNA INS
QVIAN FL   DINSVLE
ZOITON   MESSICO   CVBA   HEC ET ISABEL
R. PALMAR   S. ANTON   ET FRADM   HESPERI
THENISTITAN   YUCATAN   ANDIRA DICTA   BORICVE   DES INS
PORTO BANO   ET ZIPAN   JAMAICA   SPAGNOLLA
MANOI   DRAS   COZVMELLA INS   DOMINCA
MARE   GVSSANA   CANI   LAPONIA
DE SVR   MARE HER   BALOR
TENISCVMATAN   BIDVM   GRANADA   AE QVA TOR
MOLVCE   COLNA CANA   PALMARIA REG   VRABE
ARCHIPELAGVS   PARIAS   DARIENA
DARIANA   LAIA
ROCHO   C.S. CRVC
CATTIGORA   CANIBALE   S. AVGVS
PROV   R. REAL
AMERICA   PORTO REAL
INVENTA 1492   BRASILLI
BRASILIA   MONS PASQVALIS
TIMOR   REGIO   C. FRIO   TROPICVS CAPRICORNI
R. S. LVCIAE
TERRA NOVA   C. S. MARIA
S. ANTONII
P. S. SEBASTIAN
REGIO PATALIS   TERRA   SINVS
C. S. MATHIAS
C. S. IVLIANI
MARE   C. S. CRVC
MAGELLANICVM   STRICTO
DE MAGELLA
CIRCVLVS   ANTARCTICVS

36

11 — L'Amérique vers 1528

(Globe doré de Paris : reproduit de HARRISSE, *The Discovery of North America*, planche XXI)

La découverte de Verrazano est mentionnée sur ce globe (voir « Terra Francesca Nuper Illustrata »), mais, pour le reste, l'auteur est en retard sur les connaissances de son temps : l'Amérique du Nord se confond encore avec l'Asie (le golfe du Mexique s'identifie au golfe de Chine) et l'Amérique du Sud se rattache au sud-est de l'Asie. Un tracé indique l'itinéraire de Magellan.

11—America about 1528

(the Paris "Gilt" Globe; reproduced from HARRISSE, *The Discovery of North America*, plate XXI)

Verrazano's discovery is mentioned on this globe (see "Terra Francesca Nuper Illustrata"), but otherwise its author is lagging behind the knowledge of his time. North America is still one with Asia, the Gulf of Mexico is still identified as the Gulf of China, and South America is still attached to South-east Asia. A tracing of Magellan's voyage is indicated.

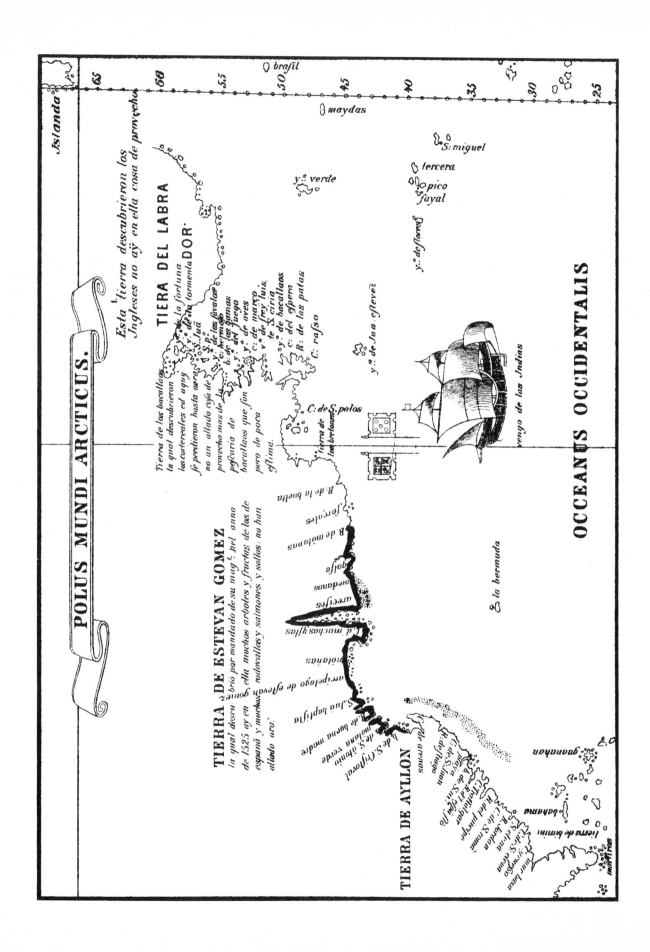

POLUS MUNDI ARCTICUS.

Jslanda

brasil

maydas

Esta tierra descubrieron los
Jngleses no aÿ en ella cosa de provecho

TIERRA DEL LABRA

DOR·

S: miguel

tercera

pico
fayal

y.ª verde

y.ª de flores

S. Iuã

la fortuna
de la tormenta
de las savalos
c: hermoso
b: de las gamas
y.ª del fuego
y.ª de aves
c: de mayo.
v.ª de frey luis.
te. S.ciria
c: de bacallaos
c: del ejpera
R: de las patas

Tierra de las bacallaos
la qual descubrieron
lascortereales ed aquÿ
fe perdieron hasta aora
no an allado cÿa de
provecho mas de la
pescaria de
bacallaos que son
pero de poca
ejtima.

C: rafso

y.ª de Iua c/leveƶ

OCCEANUS OCCIDENTALIS

C: de S. palos

tierra de
los bretones

vengo de las Indias

TIERRA DE ESTEVAN GOMEZ

la qual descubrió por mandado de su mag.ᵗ: ꝯel anno
de 1525 ay en ella muchos arboles y fructas de las de
españã y muchos rodovalles y salimones y sollos: no han
allado oro.

R. de la buelta

farales

R. de motanas

golfo

medanos

arecifes

d. muchas yflas

motanas

archipelago de ejtevan gomez

S.ua batijta

la bermuda

de buena madre
motana verde

TIERRA DE AYLLON

b. de S. ãtonio

pt.ᵒ de S. ã. vored
b.ᵃ de arenas
pt.ᵒ de fuego
R. d.l ejp.u s.ᵗo
c: de b. S.ic

guanahan

bahama

tierra de bimini

c: baxo
cſtodriã
c: de S. roma
R. de parage
S.elena
c: fordan
R. del ejp.u fto

mur luxa
y.ª luego
ejpanola
axce
mont ries

Occeanus Occidentalis

38

12 — Le littoral nord-américain en 1529

(carte de Diego Ribero : reproduite des *Collections of the Maine Historical Society, Second Series*, vol. I, p. 299)

A la suite des explorations de Gomez et de Vasquez de Ayllon, de 1524 à 1526, la toponymie française du littoral atlantique a fait place pour longtemps à une toponymie espagnole : la Nouvelle-France est devenue la Nouvelle-Espagne. Terre-Neuve, démarquée par le détroit de Belle-Isle et par le cap Race, ne se détache pas encore du continent ; il en est de même du Cap-Breton et de la Nouvelle-Écosse.

Sous le toponyme *Tierra de Estevan Gomez,* une large ouverture va fasciner les explorateurs jusqu'à la fin du siècle et même du temps de la colonie acadienne de l'île Sainte-Croix : serait-ce l'ouverture vers l'Asie ?

12—The Coast of North America in 1529

(map by Diego Ribero; reproduced from *Collections of the Maine Historical Society, Second Series*, Vol. I, p. 299)

Following the explorations of Gomez and Vasquez de Ayllon between 1524 and 1526, the French nomenclature of the Atlantic coast has long since given way to Spanish names ; New France has become New Spain. Newfoundland, distinguished by the Strait of Belle Isle and Cape Race, is not yet separated from the continent, nor are Cape Breton and Nova Scotia.

A wide opening below the name *Tierra de Estevan Gomez* was to intrigue explorers up until the end of the century, and even at the time of the Acadian colony of St. Croix Island ; could it be that this was the passage to Asia ?

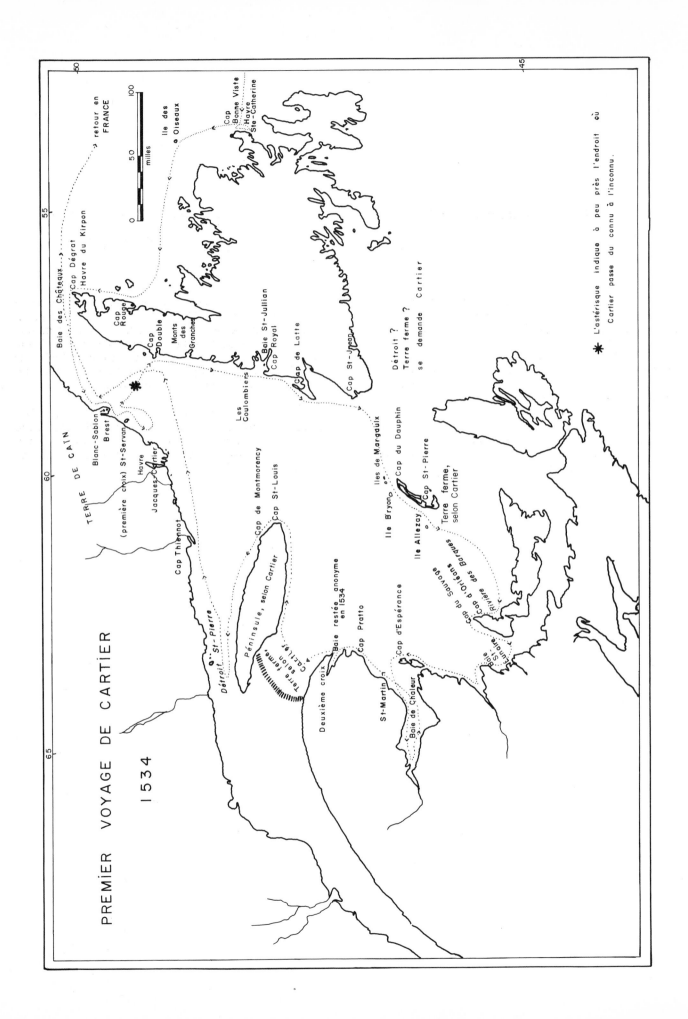

PREMIER VOYAGE DE CARTIER
1534

TERRE DE CAÏN

retour en FRANCE

Baie des Châteaux
Cap Dégrat
Havre du Kirpon
Cap Rouge
Cap Double
Monts des Granches
Baie St-Jullian
Cap Royal
Cap de Latte
Cap St-Jean

Île des Oiseaux

Cap Bonne Viste
Havre Ste-Catherine

Détroit ?
Terre ferme ?
se demande Cartier

L'astérisque indique à peu près l'endroit où Cartier passe du connu à l'inconnu.

Blanc-Sablon
Brest
(première choix) St-Servan
Havre
Jacques-Cartier

Les Coulombiers

Cap Thiennot

Cap de Montmorency
Cap St-Louis

Péninsule, selon Cartier
Terre ferme, selon Cartier

Détroit. St-Pierre

Deuxième croix
Baie restée anonyme en 1534
Cap Pratto

St-Martin
Cap d'Espérance
Baie de Chaleur

Îles de Margaulx
Cap du Dauphin
Île Bryono
Cap St-Pierre
Île Allezay

Terre ferme, selon Cartier

Cap du Sauvage
Rivière des Barques
Cap d'Orléans
Baie St-Lunaire

100

50

0

milles

65   60   55   50   45

40

13 — Itinéraire de Jacques Cartier en 1534

(établi par Marcel Trudel)

Par la baie des Châteaux (détroit de Belle-Isle) qu'on lui a assignée comme objectif, Cartier pénètre dans le golfe Saint-Laurent, dont il est le premier à dresser la cartographie. La route vers l'Asie lui est barrée dans la baie de Chaleur et, à cause de brouillards, il prend pour terre ferme l'étendue d'eau qui sépare la Gaspésie et l'île Anticosti. Craignant les vents, il ne poursuit pas l'examen du détroit Saint-Pierre et il rentre en France.

13—Jacques Cartier's Voyage of 1534

(plotted by Marcel Trudel)

Cartier entered the Gulf of St. Lawrence, which he was the first to chart, by way of the Baie des Châteaux (Strait of Belle Isle), his assigned objective. He found the route to Asia blocked in the Baie de Chaleur, and because of heavy fog he mistook the stretch of water between the Gaspé and Anticosti Island for land. Fearing the high winds he encountered in St. Peter's Strait, he did not pursue his exploration of it and returned to France.

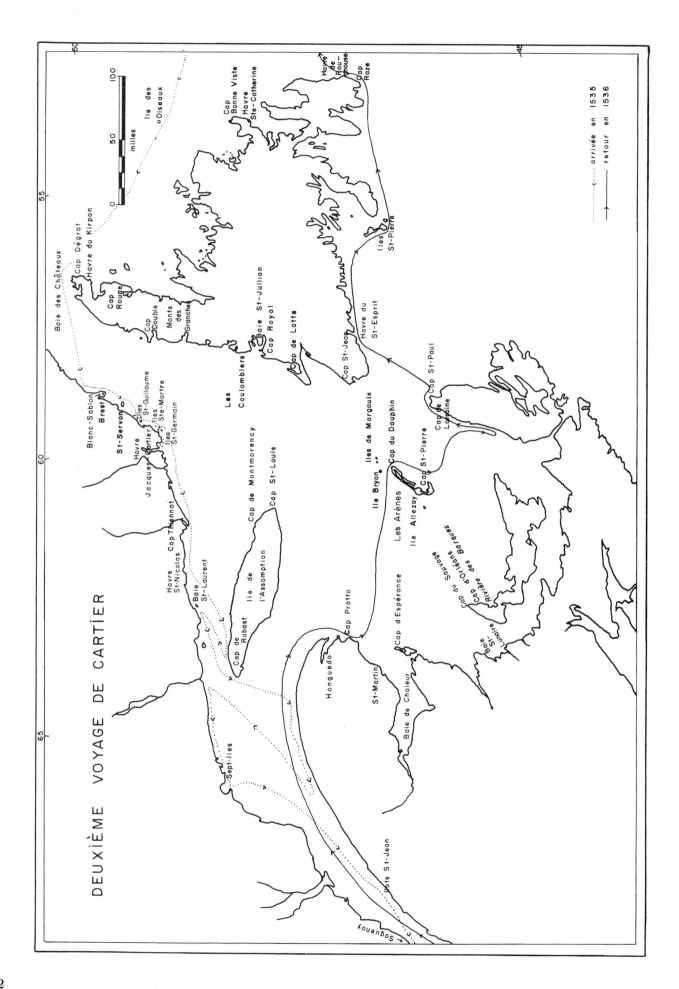

DEUXIÈME VOYAGE DE CARTIER

Baie des Châteaux
Cap Dégrat
Havre du Kirpon
Cap Rouge
Cap Double
Monts des Granches
Île des Oiseaux

milles
0 50 100

Blanc-Sablon
Brest
St-Servan
Havre
Jacques Cartier
Îles St-Guillaume
Îles Ste-Marthe
Îles St-Germain

Havre Cap Thiennot
St-Nicolas
Baie St-Laurent

Cap de Rabast
Île de l'Assomption

Cap de Montmorency
Cap St-Louis

Les Coulombiers
Baie St-Jullian
Cap Royal
Cap de Latte
Cap St-Jean
Havre du St-Esprit

Îles St-Pierre

Havre de Rou-mouse
Cap Raze

Cap Bonne Viste
Havre Ste-Catherine

Cap St-Paul
Cap de Loraine

Sept-Îles

Île Bryon
Iles de Margaulx
Cap du Dauphin

Cap Pratto

Honguedo

St-Martin

Cap d'Espérance

Baie de Chaleur

Les Arênes
Île Allezay
Cap St-Pierre
Cap St-Pierre

Cap du Sauvage
Rivière des Barques
Cap d'Orléans
Baie St-Lunaire

Bois St-Jean

Saguenay

...... arrivée en 1535
—— retour en 1536

42

14 — Itinéraire partiel de Cartier en 1535-1536

(établi par Marcel Trudel)

Cartier revient en 1535 poursuivre son exploration là où il s'était arrêté l'année précédente : il découvre le Saint-Laurent qu'il remonte jusqu'à Québec (alors Stadaconé) où il hiverne ; il retourne en France en 1536, en passant cette fois au nord du Cap-Breton et constate ainsi l'insularité de Terre-Neuve.

14—Part of Cartier's Voyage of 1535-1536

(plotted by Marcel Trudel)

In 1535, Cartier returned to take up his exploration where he had left it the year before. He discovered the St. Lawrence and sailed up it to Quebec (Stadacona at that time), where he spent the winter. He returned to France in 1536, this time passing to the north of Cape Breton, thus establishing that Newfoundland was an island.

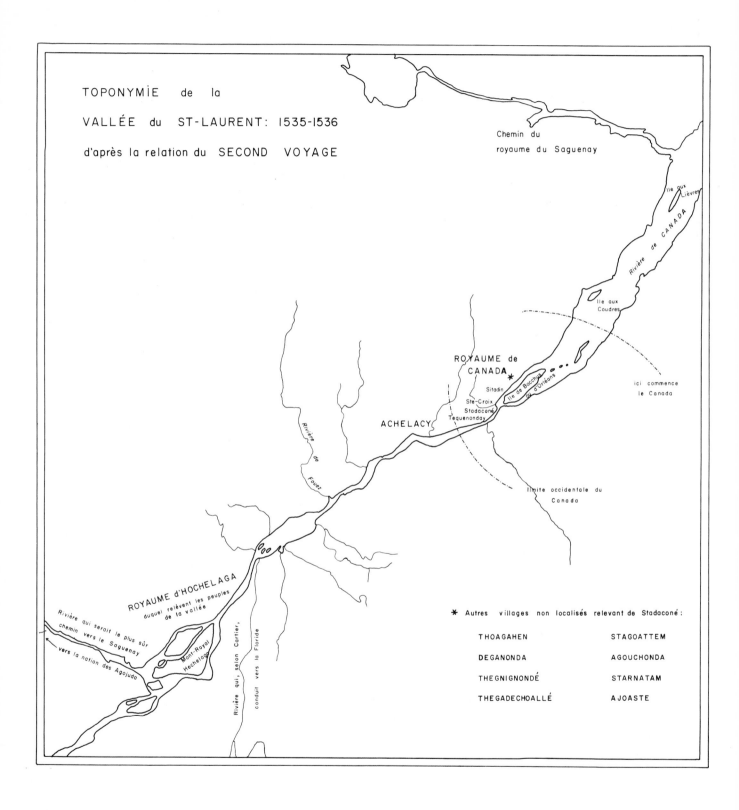

TOPONYMIE de la
VALLÉE du ST-LAURENT: 1535-1536
d'après la relation du SECOND VOYAGE

Chemin du
royaume du Saguenay

Île aux Lièvres

Rivière de CANADA

Île aux Coudres

ROYAUME de CANADA ✱

Sitadin

Ste-Croix
Stadaconé
Tequenonday

Île de Bacchus ou d'Orléans

ici commence le Canada

ACHELACY

Rivière de Fouez

limite occidentale du Canada

ROYAUME d'HOCHELAGA
duquel relèvent les peuples de la vallée

Rivière qui serait le plus sûr chemin vers le Saguenay

vers la nation des Agojuda

Mont-Royal Hochelaga

Rivière qui, selon Cartier, conduit vers la Floride

✱ Autres villages non localisés relevant de Stadaconé:

THOAGAHEN   STAGOATTEM

DEGANONDA   AGOUCHONDA

THEGNIGNONDÉ   STARNATAM

THEGADECHOALLÉ   AJOASTE

44

15 — Toponymie laurentienne en 1535-1536

(reconstituée par Marcel Trudel, d'après la relation du second voyage de Cartier)

Au début de l'automne 1535, Cartier s'était rendu à Hochelaga et il avait pu acquérir, de la région montérégienne, une vue d'ensemble à laquelle on n'ajoutera qu'au siècle suivant. Noter que le Canada d'alors, découvert en 1535, ne recouvre que la région immédiate de Québec.

15—Nomenclature of the St. Lawrence Valley in 1535-1536

(reconstituted by Marcel Trudel from Cartier's account of his second voyage)

Early in the autumn of 1535, before wintering at Quebec, Cartier ascended the river to Hochelaga; he was able to obtain an overall view of the Montreal region to which nothing was added until the following century. It should be noted that Canada, as discovered in 1535, included only Quebec and its immediate surroundings.

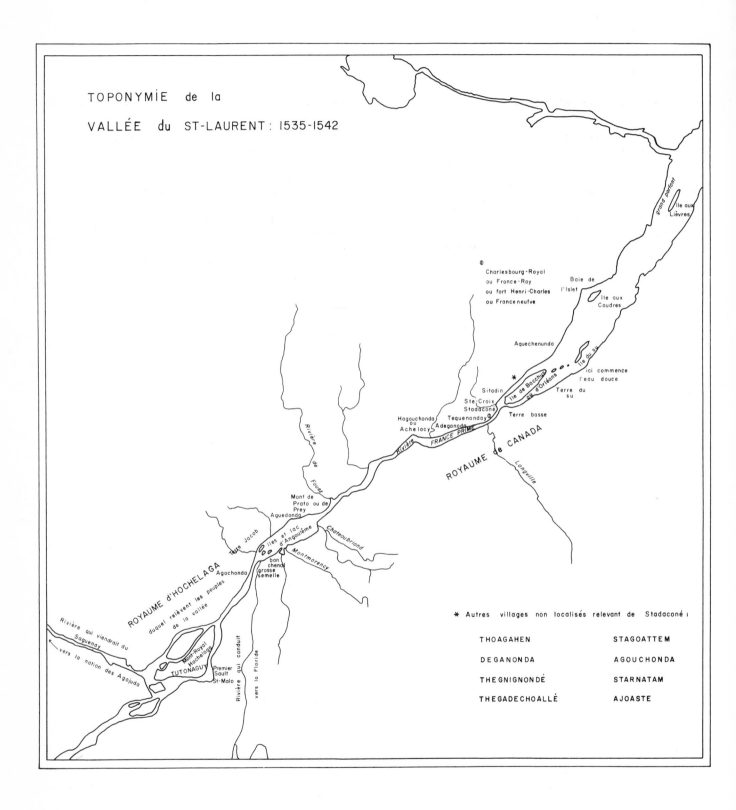

TOPONYMIE de la
VALLÉE du ST-LAURENT: 1535-1542

Île aux Lièvres

grand parfont

Charlesbourg-Royal
ou France-Roy
ou fort Henri-Charles
ou France neufve

Baie de
l'Islet

Île aux
Coudres

Aquechenunda

ici commence
l'eau douce

Île de Bacchus
ou d'Orléans

Île du su

Sitadin
Ste-Croix
Stadaconé
Tequenonday
Terre du
su

Hagouchonda
ou
Achelacy

Adeganoda

Terre basse

Rivière FRANCE PRIME

Rivière de Fouez

ROYAUME de CANADA

Longville

Mont de
Prato ou de
Prey
Aguedonda

Chateaubriand

Île Jacob

Îles et lac
d'Angoulême

Montmorency

bon
chendl
grosse
semelle

ROYAUME d'HOCHELAGA
duquel relèvent les peuples
de la vallée

Agochonda

Rivière qui viendrait du
Saguenay

vers la nation des Agojuda

Mont-Royal
Hochelaga
TUTONAGUY

Premier
Sault
St-Malo

Rivière qui conduit

vers la Floride

* Autres villages non localisés relevant de Stadaconé :

THOAGAHEN	STAGOATTEM
DEGANONDA	AGOUCHONDA
THEGNIGNONDÉ	STARNATAM
THEGADECHOALLÉ	AJOASTE

46

16 — Toponymie laurentienne, de 1535 à 1542

(reconstituée par Marcel Trudel d'après les sources suivantes : relations de Cartier et de Roberval, *Cosmographie* de Jean ALFONSE, mappemonde dite Harléyenne, cartes Vallard, Desceliers et Mercator)

Le troisième voyage de Cartier, son établissement au Cap-Rouge en 1541-1542 (la plus ancienne colonie française en Amérique), puis l'hivernement de Roberval au même lieu en 1542-1543 complètent et fixent pour longtemps la toponymie laurentienne : elle ne changera qu'au siècle suivant, ne retenant de l'époque de Cartier que de rares survivances.

16—Nomenclature of the St. Lawrence Valley from 1535 to 1542

(reconstituted by Marcel Trudel from accounts by Cartier and Roberval, *Cosmographie* by Jean ALFONSE, the "Harleian" map of the world and maps by Vallard, Desceliers and Mercator)

Cartier's third voyage, his settlement at Cap Rouge in 1541-1542 (the oldest French colony in America) and Roberval's tenure at the same spot over the winter of 1542-1543 served to establish the nomenclature of the St. Lawrence Valley for a long time to come. It was not to change until the following century, but then the names which survived from Cartier's time were rare exceptions.

17 — Partie laurentienne de la mappemonde dite Harléyenne, vers 1542

(Archives publiques du Canada)

Ce serait ici la plus ancienne carte du Saint-Laurent. Compte tenu de sa seule toponymie, qui est due au premier voyage de Cartier, elle pourrait être datée de 1536, mais la scène du labourage (qui ne s'explique que par l'établissement du Cap-Rouge) en reporterait la date à 1542. L'homme à grand manteau, qui adresse la parole à trois individus, serait Cartier.

Les rivières Saguenay, Saint-Maurice, Outaouais et Richelieu sont fortement indiquées.

Toutes les cartes du XVIe siècle reproduiront fidèlement ce paysage.

Noter qu'à cette époque certains cartographes situaient le nord au bas de la carte, le sud au haut : nous avons rétabli la position traditionnelle, ce qui explique que certaines inscriptions apparaissent à l'envers.

17—Part of the "Harleian" Map of the World Depicting the St. Lawrence, about 1542

(Public Archives of Canada)

This is thought to be the oldest map of the St. Lawrence in existence. From the nomenclature alone, a date of 1536 could be assigned to it, but the ploughing scene, which could only be accounted for by the existence of the Cap Rouge settlement, sets its date rather at 1542. The man in the voluminous mantle addressing three others no doubt represents Cartier.

The Saguenay, St. Maurice, Ottawa and Richelieu Rivers are prominently indicated.

All later 16th-century maps will faithfully reproduce this same land formation.

It should be noted that at this time some cartographers represented the north at the bottom of the map and the south at the top. Here, we have reestablished the traditional position, which explains why some inscriptions are upside down.

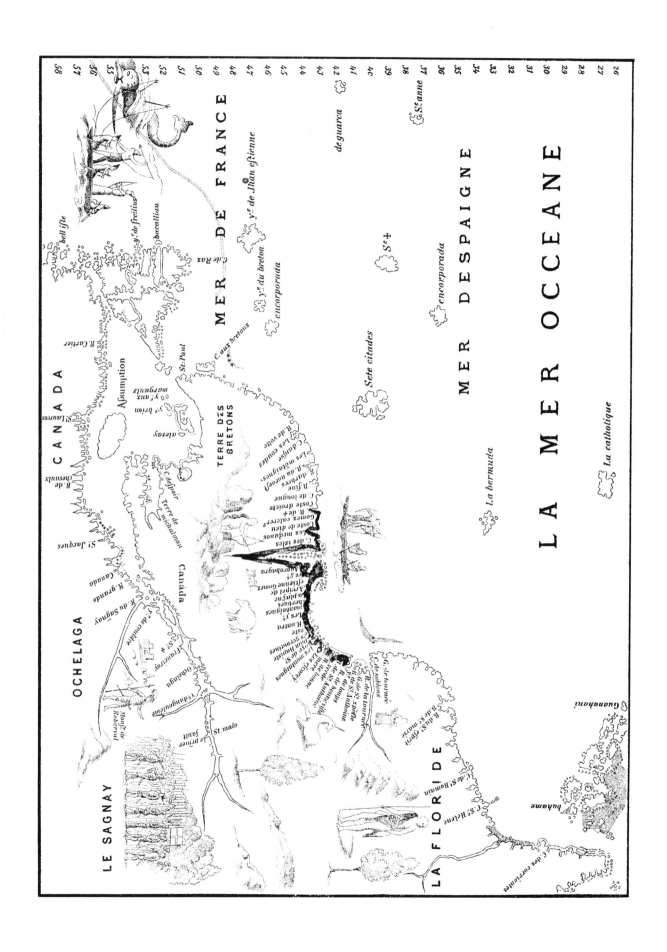

18 — Cartographie laurentienne de 1543

(carte française anonyme : reproduite des *Collections of the Maine Historical Society, Second Series*, vol. I, p. 351)

S'inspirant servilement de la carte Ribero, l'auteur français reproduit telle quelle la toponymie espagnole ; du moins, la toponymie laurentienne est française : aux toponymes de Cartier sont venus s'ajouter ceux de Roberval ; c'est lui, d'ailleurs, que le cartographe représente à la tête des troupes.

18—Cartography of the St. Lawrence in 1543

(anonymous French map; reproduced from *Collections of the Maine Historical Society, Second Series*, Vol. I, p. 351)

The French author has held slavishly to Ribero's map, reproducing the Spanish names as he found them. The nomenclature of the St. Lawrence is French, however; to Cartier's place names are added those of Roberval, and it is the latter that the cartographer represents leading the troops.

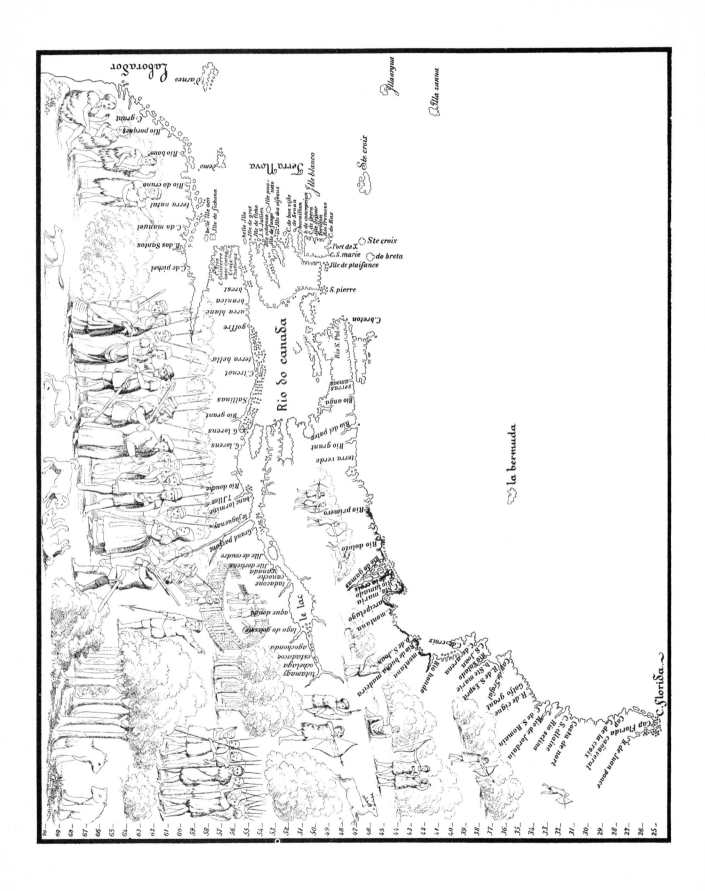

19 — Autre représentation du Saint-Laurent, en 1547

(carte de Vallard : reproduite des *Collections of the Maine Historical Society, Second Series*, vol. I, p. 354)

La toponymie de cette carte ne semble venir que des relations de Cartier, et c'est lui qu'on représente dans le groupe, la droite levée ; derrière ce groupe, un enclos qui rappellerait celui de Charlesbourg-Royal (Cap-Rouge).

19—Another Representation of the St. Lawrence, in 1547

(map by Vallard; reproduced from *Collections of the Maine Historical Society, Second Series*, Vol. I, p. 354)

The nomenclature of this map appears to be based only on Cartier's accounts of his voyages. It is he who is pictured in the group with his right hand raised; behind the group is an enclosure not unlike that of Charlesbourg-Royal (Cap Rouge).

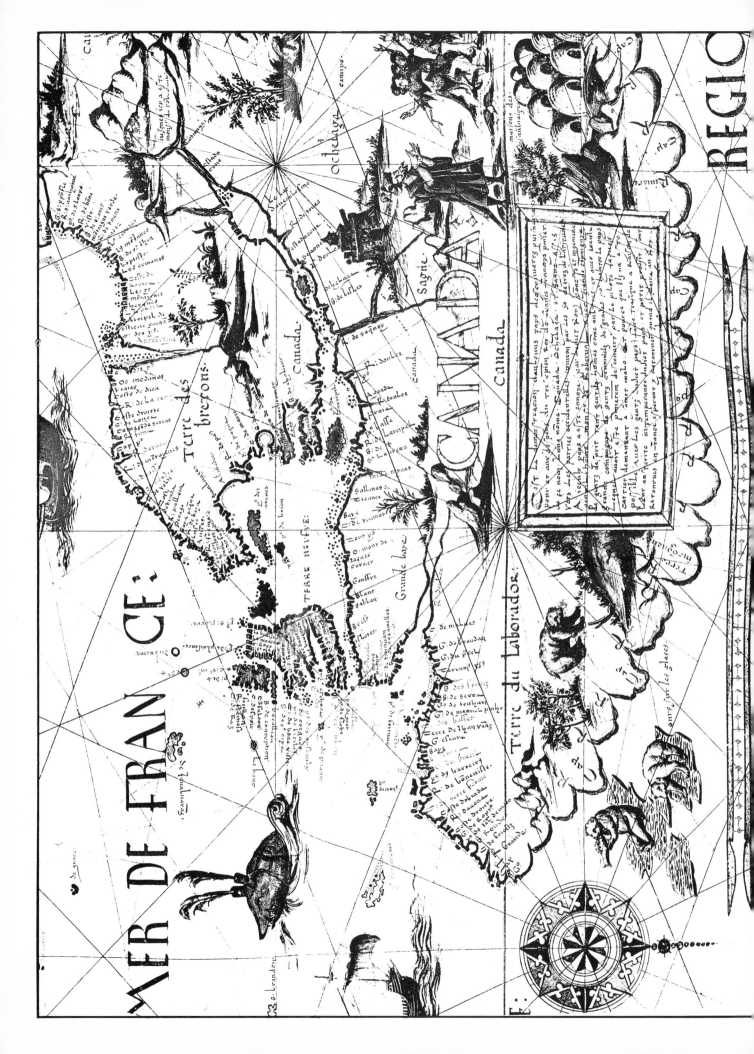

20 — La Nouvelle-France en 1550

(carte de Pierre Desceliers: Archives publiques du Canada)

La représentation du nord-est de l'Amérique est devenue classique : la cartographie laurentienne, pour sa part, ne marque aucun progrès sur les cartes précédentes, demeurant tributaire des relations de Cartier; c'est d'ailleurs l'explorateur malouin qu'on croit reconnaître dans l'homme à barbe, devant les sorciers.

Comme dans la carte N° 17, l'auteur a situé le nord au bas, le sud au haut : nous rétablissons la position traditionnelle.

20—New France in 1550

(map by Pierre Desceliers; Public Archives of Canada)

The mapping of north-eastern America has reached a plateau; the cartography of the St. Lawrence in particular remains dependent upon Cartier's accounts of his voyages and shows no progress over the preceding maps. The bearded man confronting the sorcerers is thought to represent the St. Malo explorer.

As in map No. 17, the cartographer has situated the north at the bottom and the south at the top; again, we have reestablished the traditional position.

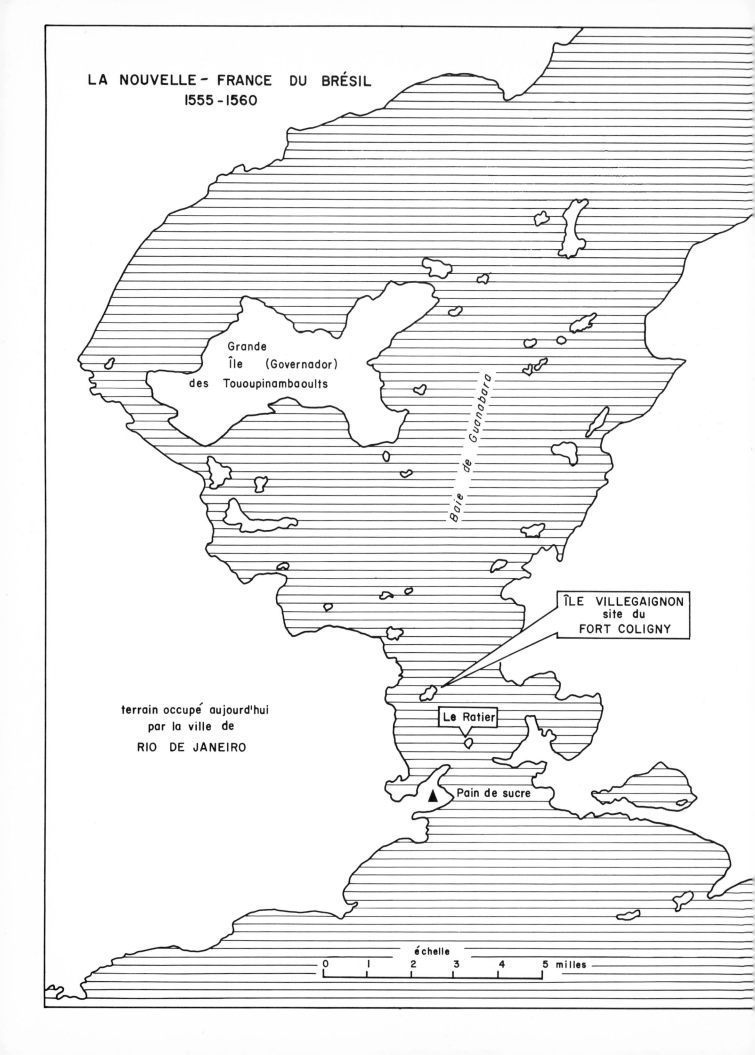

LA NOUVELLE - FRANCE DU BRÉSIL
1555 - 1560

Grande
Île (Governador)
des Tououpinambaoults

Baie de Guanabara

ÎLE VILLEGAIGNON
site du
FORT COLIGNY

Le Ratier

terrain occupé aujourd'hui
par la ville de
RIO DE JANEIRO

▲ Pain de sucre

échelle

0 1 2 3 4 5 milles

21 — La Nouvelle-France du Brésil, 1555–1560

(carte de Marcel Trudel)

Donnant suite au projet de Coligny de fonder outre-mer une colonie qui serve de refuge aux huguenots, Villegaignon opte pour le Brésil : c'est là, dans la baie de Guanabara (aujourd'hui Rio-de-Janeiro), qu'après l'abandon du Saint-Laurent Villegaignon tente de fonder une Nouvelle-France. La colonie du fort Coligny, en l'île Villegaignon, est éliminée par les Portugais en 1560.

21—New France in Brazil, 1555–1560

(map by Marcel Trudel)

For the realization of Coligny's plan for an overseas colony to serve as a refuge for the Huguenots, Villegaignon chose Brazil. There, in Guanabara Bay (today Rio de Janeiro), after the abandonment of the St. Lawrence, he attempted to establish another New France. The colony on Villegaignon Island, Fort Coligny, was wiped out by the Portuguese in 1560.

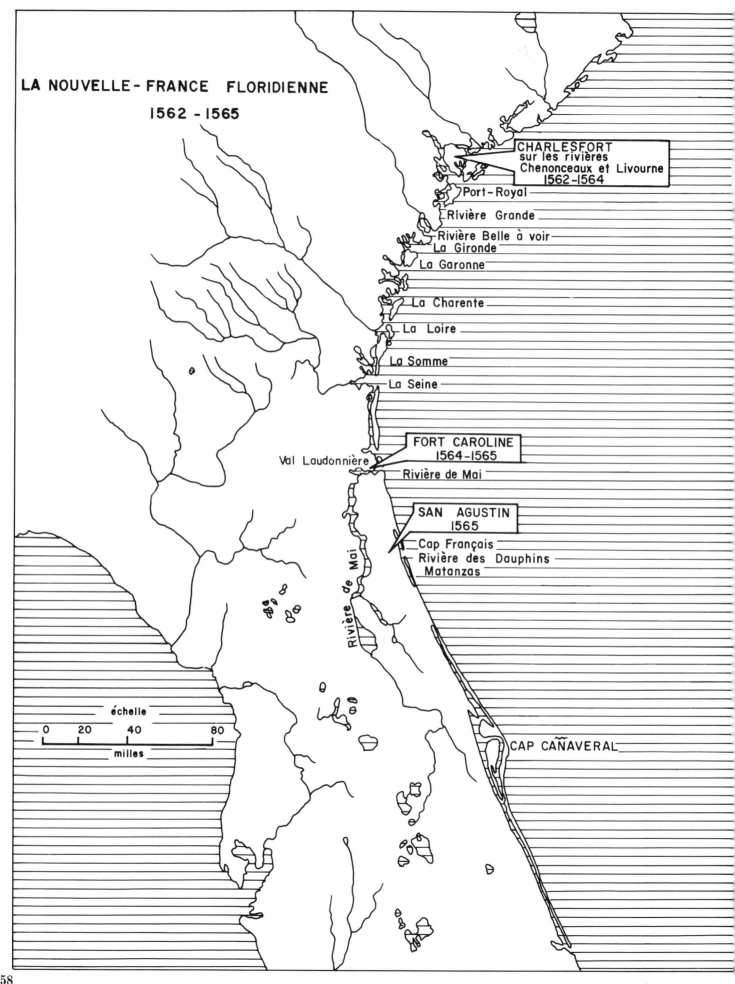

LA NOUVELLE-FRANCE FLORIDIENNE
1562 - 1565

CHARLESFORT
sur les rivières
Chenonceaux et Livourne
1562-1564

Port-Royal

Rivière Grande

Rivière Belle à voir
La Gironde

La Garonne

La Charente

La Loire

La Somme

La Seine

Val Laudonnière

FORT CAROLINE
1564-1565

Rivière de Mai

SAN AGUSTIN
1565

Cap Français
Rivière des Dauphins
Matanzas

Rivière de Mai

échelle

0   20   40   80

milles

CAP CAÑAVERAL

22 — La Nouvelle-France floridienne, 1562–1565

(carte tracée par Marcel Trudel)

Le projet d'une Nouvelle-France ayant échoué dans le Saint-Laurent en 1543, puis au Brésil en 1560, l'amiral Coligny, qui cherche encore à fonder une colonie huguenote, envoie Ribault et Laudonnière en Floride, terre que revendiquent les Espagnols. On s'installe d'abord à Charlesfort en 1562 (dans l'archipel aujourd'hui nommé Beaufort, en Caroline du Sud), puis dans la rivière de Mai (aujourd'hui St. John's), où l'on construit le fort Caroline en 1564. L'année suivante, l'Espagne fonde Saint-Augustin et détruit la colonie française.

22—New France in Florida, 1562–1565

(map by Marcel Trudel)

New France had failed in the St. Lawrence in 1543 and again in Brazil in 1560. Admiral Coligny, still hoping to found a Huguenot colony, sent Ribault and Laudonnière to Florida, which was claimed by the Spaniards. They first settled at Charlesfort in 1562 (in the archipelago today called Beaufort, in South Carolina), then on the May River (St. John's River today), where they built Fort Caroline in 1564. The following year, the Spaniards founded St. Augustine and destroyed the French colony.

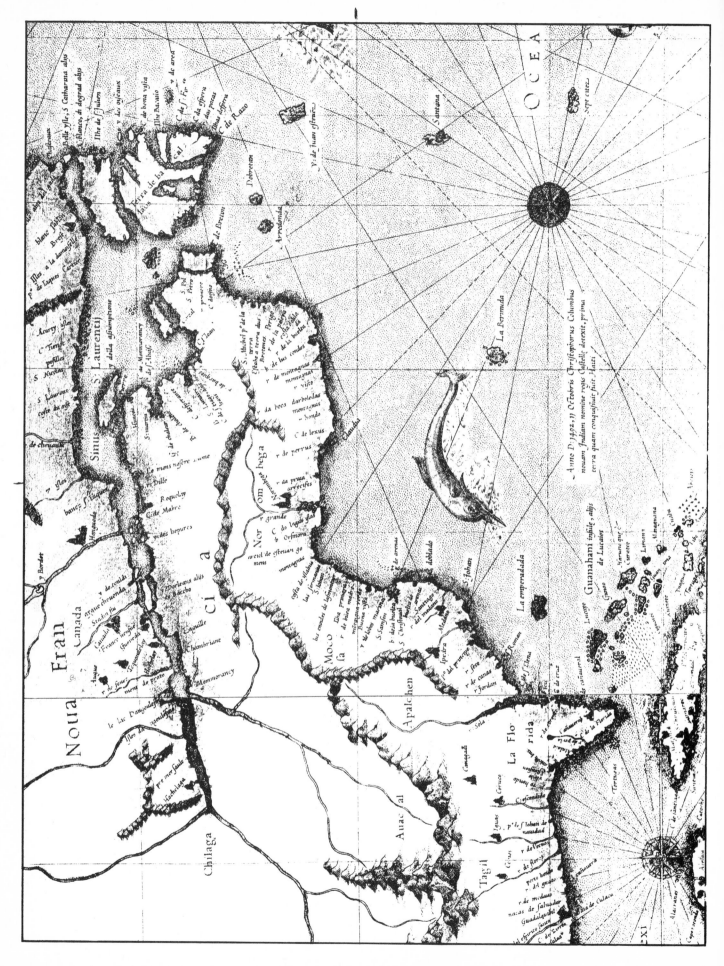

23 — La Nouvelle-France selon Mercator en 1569

(carte de Gérard Mercator en 1569 : Archives publiques du Canada)

Inspirée, comme les précédentes, des relations de Cartier, cette carte marque une étape importante dans l'évolution de la toponymie : elle est la première à appliquer au golfe le toponyme *Saint-Laurent* que Cartier n'avait donné qu'à une petite baie de la côte nord.

23—New France according to Mercator in 1569

(Gerardus Mercator's map of 1569; Public Archives of Canada)

While still drawing upon Cartier's accounts, this map marks an important step forward in nomenclature ; it was the first to apply the name *St. Lawrence* to the Gulf, whereas Cartier had given it only to a small bay on the north shore.

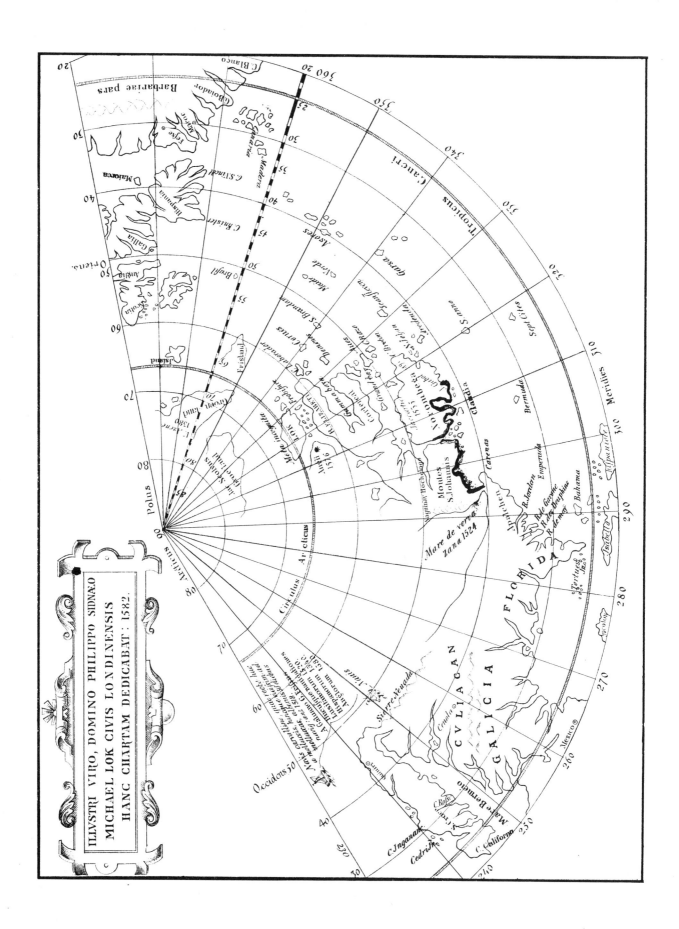

24 — La hantise de la mer d'Asie, 1582

(carte de l'Anglais Michael Lok en 1582 : reproduite des *Collections of the Maine Historical Society, Second Series*, vol. I, p. 290)

Le cartographe a réussi à réunir ici tout ce qui peut donner espoir de découvrir le passage vers la mer d'Asie : le détroit de Frobisher, le Saint-Laurent, la fissure de la Norembègue et cette mer que Verrazano avait cru apercevoir de son navire en 1524.

24 — The Obsession of the Asian Sea, 1582

(map of 1582 by the Englishman Michael Lok; reproduced from *Collections of the Maine Historical Society, Second Series*, Vol. I, p. 290)

The cartographer has here succeeded in bringing together everything that could justify the hope of discovering a passage to the Asian Sea: Frobisher Strait, the St. Lawrence, the Norumbega fissure and the sea that Verrazano had thought he had seen from his ship in 1524.

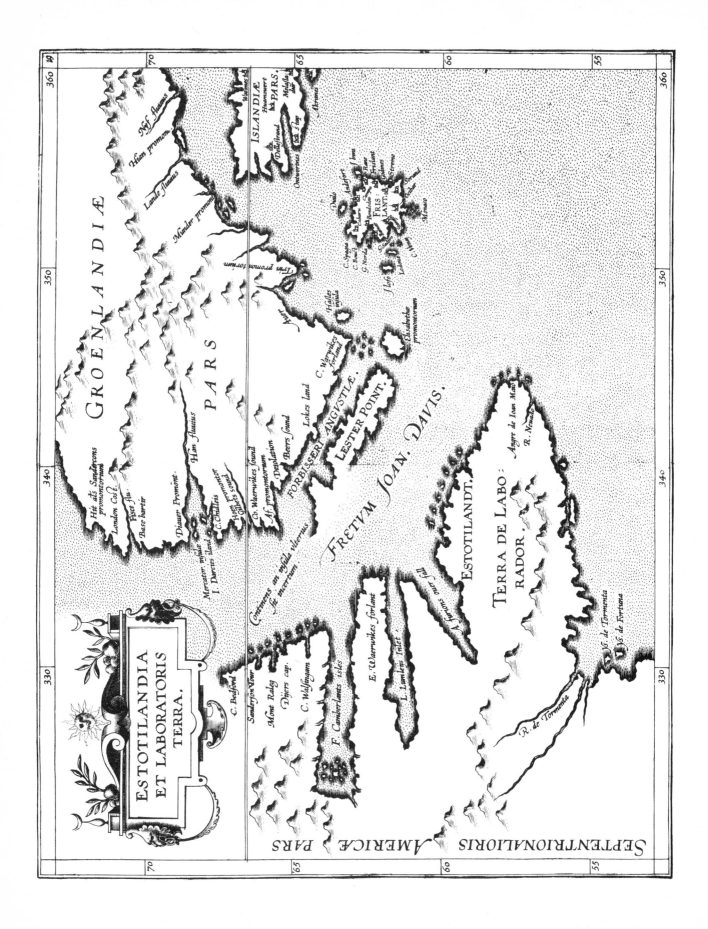

ESTOTILANDIA
ET LABORATORIS
TERRA.

64

25 — Le nord du continent américain, à la fin du XVIᵉ siècle

(carte reproduite de C. Wytfliet, *Descriptionis Ptolemaicae Augmentum sive Occidentis Notitia*, éd. 1597, p. 101)

La carte illustre avec soin les explorations des Anglais Davis et Frobisher. Le détroit d'Hudson n'a été qu'entrevu.

25—The Northern Extremity of the American Continent at the End of the 16th Century

(map reproduced from C. Wytfliet, *Descriptionis Ptolemaicae Augmentum sive Occidentis Notitia*, 1597 ed., p. 101)

This map carefully illustrates the explorations of the Englishmen Davis and Frobisher. Hudson Strait has been only glimpsed as yet.

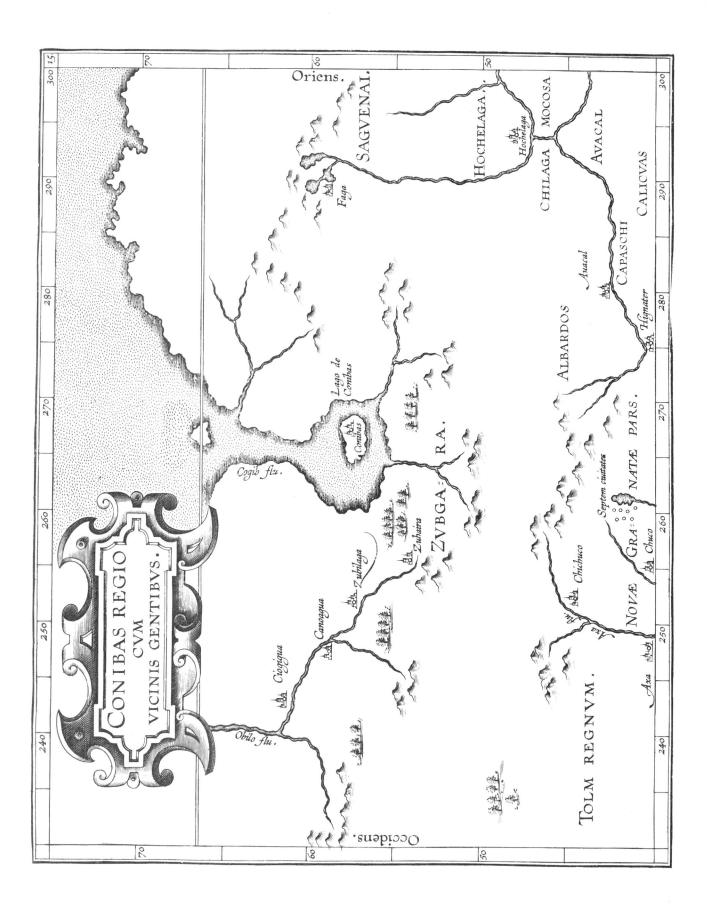

CONIBAS REGIO
CVM
VICINIS GENTIBVS.

Oriens.

SAGVENAI.

HOCHELAGA.

Hochelaga

CHILAGA

MOCOSA

AVACAL

Avacal

CAPASCHI

CALICVAS

ALBARDOS

Hignater

Faga

Lago de
Conibas

Conibas

Cogio flu.

ZVBGA=
RA.

Zubatra

Zubilaga

NATÆ PARS.

Septem ciuitates

NOVÆ GRA=

Chichuco

Chuco

Canongua

Cionigua

Obilo flu.

Axa flu.

Axa

TOLM REGNVM.

Occidens.

66

26 — Une avant-première de la baie d'Hudson en 1597 ?

(carte de 1597 reproduite de C. WYTFLIET, *Descriptionis,* plus haut cité, p. 82)

Ce lac des Conibas qui s'ouvre vers le nord, est-ce la baie d'Hudson dont les Français auraient entendu parler par les Amérindiens du Saint-Laurent et dont la découverte ne surviendra qu'en 1610 ? ou serait-ce plutôt une autre version de la *Mer douce* des Grands Lacs ?

26—A 1597 Foreglimpse of Hudson Bay?

(map of 1597 reproduced from C. WYTFLIET, *Descriptionis* cited above, p. 82)

Is this Lake Conibas which opens toward the north in reality Hudson Bay, of which the French had heard from the Amerindians of the St. Lawrence, and whose discovery was to follow only in 1610? Or is it just another version of the *Mer douce* or Freshwater Sea of the Great Lakes?

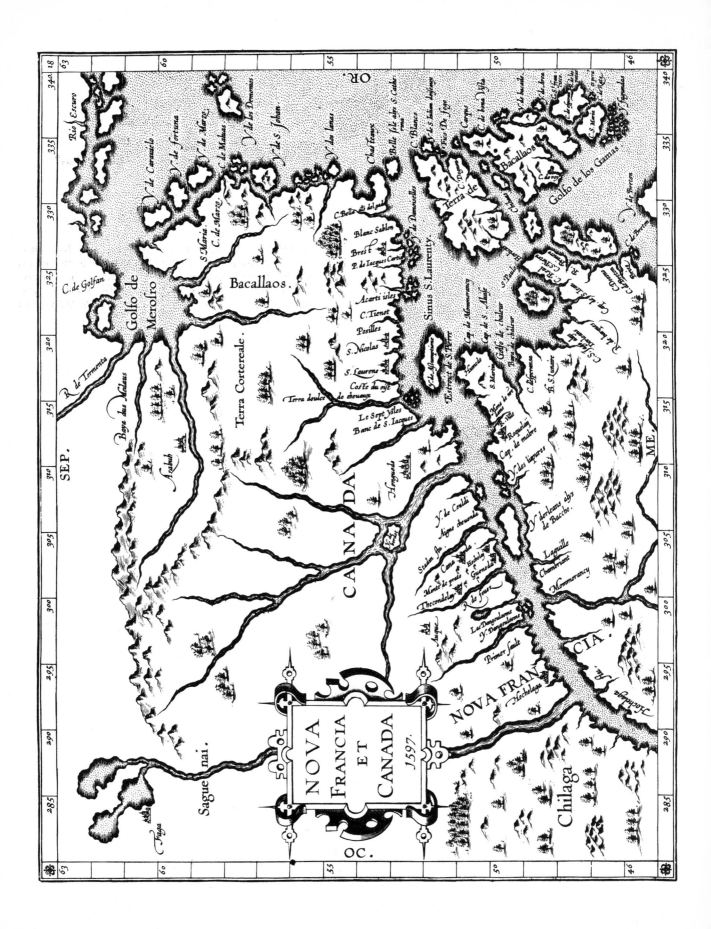

27 — La Nouvelle-France laurentienne à la fin du XVIe siècle

(carte de WYTFLIET en 1597, reproduite de *Descriptionis*, plus haut cité, p. 99)

On s'en tient toujours, à la fin du siècle, à la cartographie cartiérienne, même si un demi-siècle s'est écoulé depuis la découverte du Saint-Laurent. Les éléments nouveaux ne seront enfin apportés que par le XVIIe siècle.

27—New France of the St. Lawrence at the End of the 16th Century

(map of 1597 by WYTFLIET, reproduced from *Descriptionis* cited above, p. 99)

At the end of the century, Cartier's cartography still prevailed, even though a half century had passed since the discovery of the St. Lawrence. New elements were only to be incorporated later, with the advent of the 17th century.

DEUXIÈME PARTIE

La Nouvelle-France du XVIIe siècle

PART TWO

New France in the Seventeenth Century

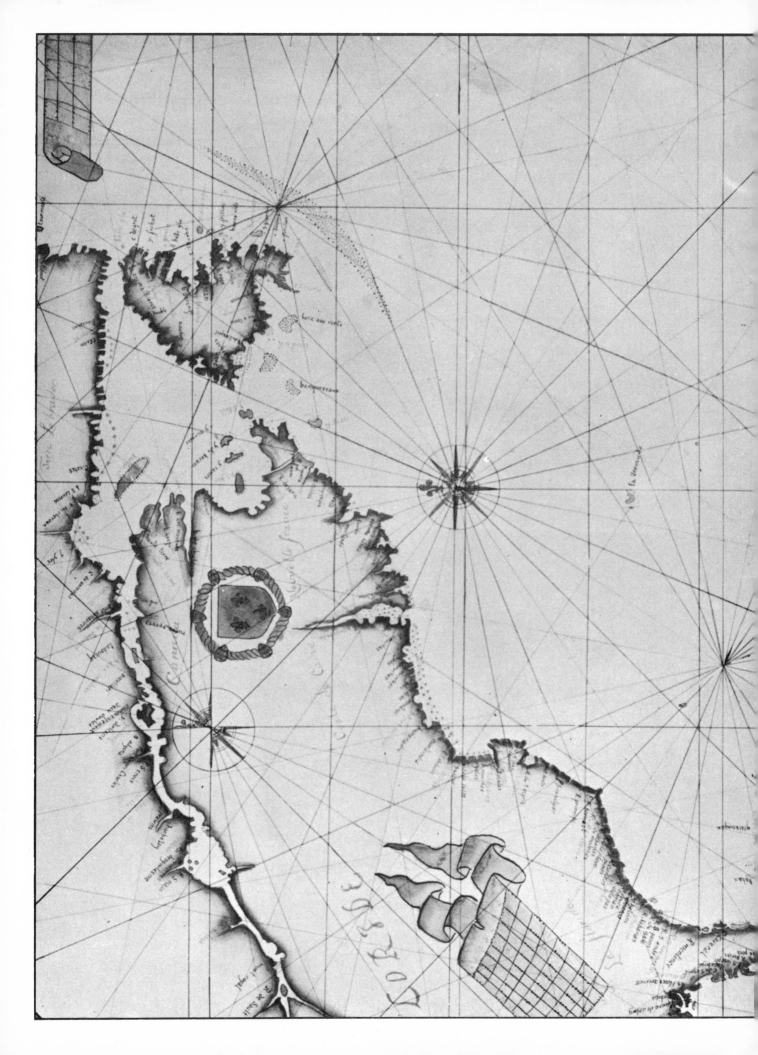

28 — De la cartographie cartiérienne à la cartographie moderne

(carte de G. Levasseur, 1601 : Archives publiques du Canada)

En amont du Saint-Laurent, la connaissance géographique ne dépasse pas Hochelaga et l'ensemble de la carte fait encore XVIᵉ siècle. Toutefois, par bien des détails, cette carte Levasseur marque un progrès sur les cartes précédentes et elle est même ce qu'il y a de plus moderne avant Champlain. C'est surtout la toponymie qui donne à cette carte son caractère de nouveauté ; plusieurs anciens toponymes iroquois disparaissent pour faire place à une nouvelle toponymie amérindienne (micmacque, montagnaise ou algonquine) : *gaspay, natistcoti, tadoucaq, quebecq;* aux anciens toponymes français qui ont survécu, Levasseur en ajoute d'autres : *île Saint-Jean, île Bonaventure, Le Bic, Trois-Rivières.* Avec ces nouveaux toponymes, dont quelques-uns demeureront liés à d'importants événements historiques (*île Bonaventure, Gaspé, Anticosti, Tadoussac, Québec, Trois-Rivières),* le décor du XVIIᵉ siècle est en place.

28—From Cartier to Modern Cartography: A Transition

(map by G. Levasseur, 1601; Public Archives of Canada)

In the upper reaches of the St. Lawrence, nothing was known of the geography beyond Hochelaga, and Levasseur's map is essentially 16th-century in character. Nevertheless, in many details it marks an improvement over its predecessors, and is in fact the most advanced of the pre-Champlain maps. Its distinction lies above all in its advanced nomenclature. A number of old Iroquois names have disappeared, to be replaced by new ones of broader Amerindian origin (Micmac, Montagnais or Algonquin): *gaspay, natistcoti, tadoucaq, quebecq.* To the older surviving French names, Levasseur has added others: *île Saint-Jean, île Bonaventure, Le Bic, Trois-Rivières.* With these new names, some of which were destined to be linked with important historic events (*île Bonaventure, Gaspé, Anticosti, Tadoussac, Québec, Trois-Rivières),* the stage is set for the 17th century.

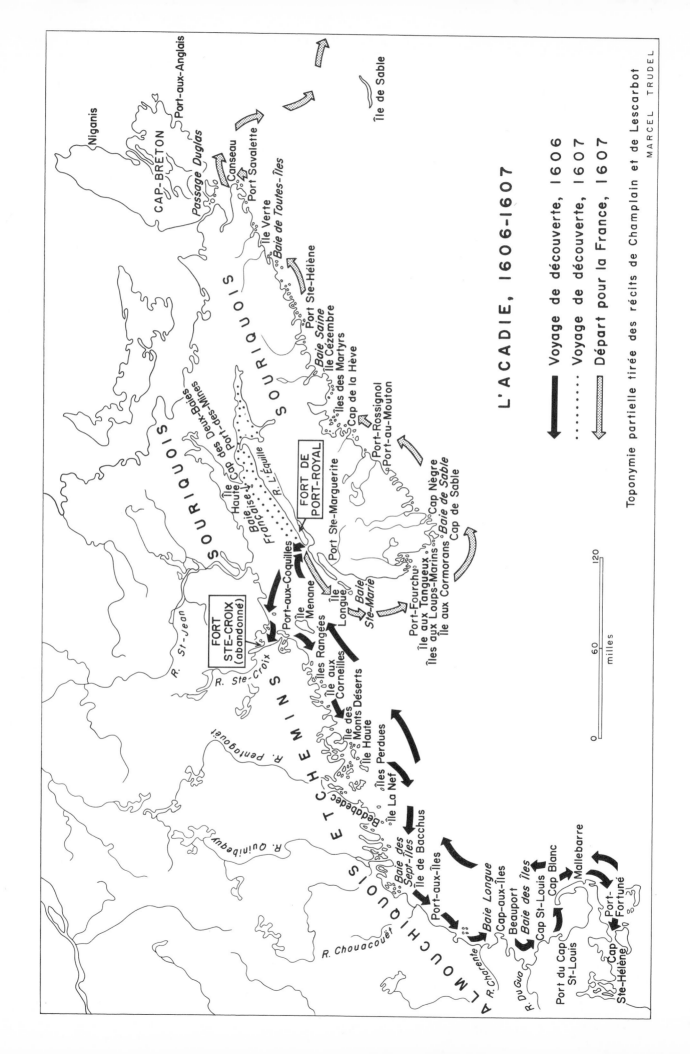

L'ACADIE, 1606-1607

Voyage de découverte, 1606
Voyage de découverte, 1607
Départ pour la France, 1607

Toponymie partielle tirée des récits de Champlain et de Lescarbot

MARCEL TRUDEL

120   60   0
milles

Niganis
CAP-BRETON
Port-aux-Anglais
Passage Duglas
Canseau
Port Savalette
Île de Sable

Île Verte
Baie de Toutes-Îles
Port Ste-Hélène

SOURIQUOIS

Deux-Baies
Cap des port-l
Île Haute
Baie Française
R. L'Équille

Baie Saine
Île Cézembre
Îles des Martyrs
Cap de la Hève

FORT DE
PORT-ROYAL
Port Ste-Marguerite
Île Menane
Île Longue
Baie Ste-Marie
Port-Rossignol
Port-au-Mouton
Cap Nègre
Baie de Sable
Cap de Sable
Port-Fourchu
Île aux Tangueux
Îles aux Loups-Marins
Île aux Cormorans

R. St-Jean

FORT
STE-CROIX
(abandonné)
Port-aux-Coquilles
Îles Rangées
Île aux Corneilles
Île des Monts Déserts
Île Haute
R. Ste-Croix

ETCHEMINS

R. Pentagouët

Îles Perdues
Île La Nef
Bedabedec

R. Quinibequy

Île de Bacchus
Baie des Sept-Îles
Port-aux-Îles

ALMOUCHIQUOIS

Baie Longue
Cap-aux-Îles
Beauport
Baie des Îles
Cap St-Louis
Cap Blanc
Mallebarre

R. Charente
R. Du Gua

R. Chouacouët

Port du Cap
St-Louis
Port-
Fortuné
Cap
Ste-Hélène

29 — L'Acadie, 1606-1607

(reconstitution par Marcel Trudel)

Reconstitution partielle de la toponymie acadienne, depuis le Cap-Breton jusqu'au cap Cod, cette carte indique en même temps les explorations faites le long de ce qui sera bientôt la Nouvelle-Angleterre. Au sud de la rivière Pentagoüet, les toponymes français sont déjà supplantés par les toponymes anglais dans une carte anglaise de 1610 : en ce qui concerne cette région, les toponymes de la carte de Champlain en 1632 ne correspondent plus à la réalité.

29—Acadia, 1606-1607

(reconstituted by Marcel Trudel)

Along with a partial reconstitution of Acadian nomenclature from Cape Breton to Cape Cod, this map shows the extent of exploration pursued along the coast of what was soon to become New England. On an English map of 1610, English names have already taken the place of French names south of the Pentagoüet (Penobscot) River. In this region, the names found on Champlain's map of 1632 no longer correspond to the reality.

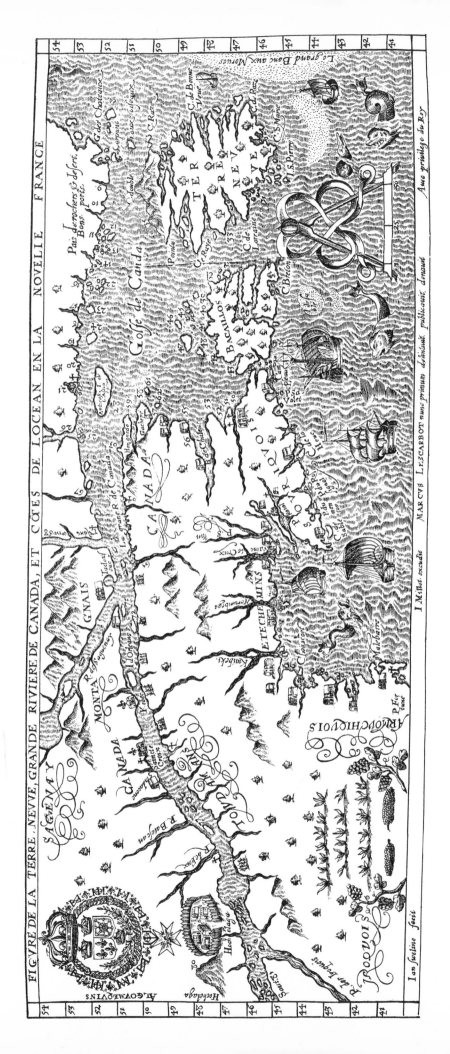

30 — L'une des dernières cartes à mêler l'ancien au moderne

(carte de Marc Lescarbot, 1609 : reproduite de LESCARBOT, *Histoire de la Nouvelle-France*, hors-texte)

Même si elle traîne encore un certain nombre de toponymes désuets du XVIe siècle *(Toudamans, Honguedo, rivière de Foix, Bacaillos)*, la carte Lescarbot contribue à renouveler le paysage : outre ceux que Levasseur affichait déjà, voici les noms *Batescan, Etechemins, Souriquois, rivière des Iroquois*, et évidemment les lieux récemment habités par les Français en Acadie. Celle-ci, du reste, se précise rapidement : la baie de Port-Royal et la rivière Sainte-Croix sont particulièrement bien représentées.

30—One of the Last Maps Combining Ancient and Modern Features

(map by Marc Lescarbot, 1609; reproduced from LESCARBOT, *Histoire de la Nouvelle-France*, plate)

Even though it retains a number of obsolete names from the 16th century *(Toudamans, Honguedo, rivière de Foix, Bacaillos)*, the Lescarbot map does contribute to the evolution of the country's cartography. Besides the names already introduced by Levasseur, we find here *Batescan, Etechemins, Souriquois, rivière des Iroquois*, and of course the recent French settlements in Acadia. This region is now rapidly taking form, moreover; the bay of Port Royal and the St. Croix River are particularly well defined.

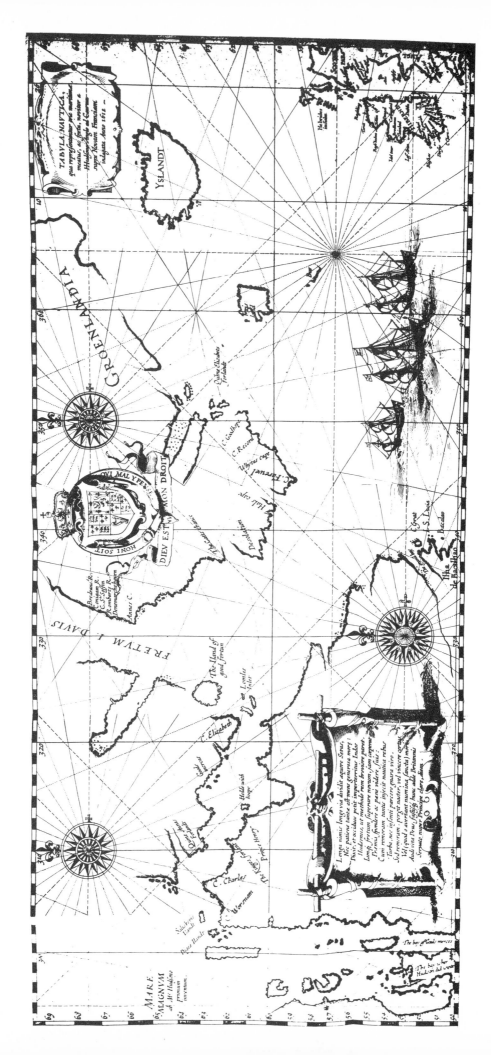

31 — La première carte de la baie d'Hudson, 1612

(carte de Hessel Gerritsz, publiée en 1612 et reproduite des *Œuvres* de CHAMPLAIN, éd. Biggar, vol. II, p. 257)

Dans cette carte des régions septentrionales de l'Amérique, dressée pour illustrer les explorations anglaises, on a la première représentation de la baie d'Hudson : elle va servir à Champlain.

31—The First Map of Hudson Bay, 1612

(map by Hessel Gerritsz, published in 1612 and reproduced from *Champlain's Works*, Biggar, ed., Vol. II, p. 257)

This map of the northern reaches of America, drawn to illustrate the English explorations, shows the first mapping of Hudson Bay. It was to prove useful to Champlain.

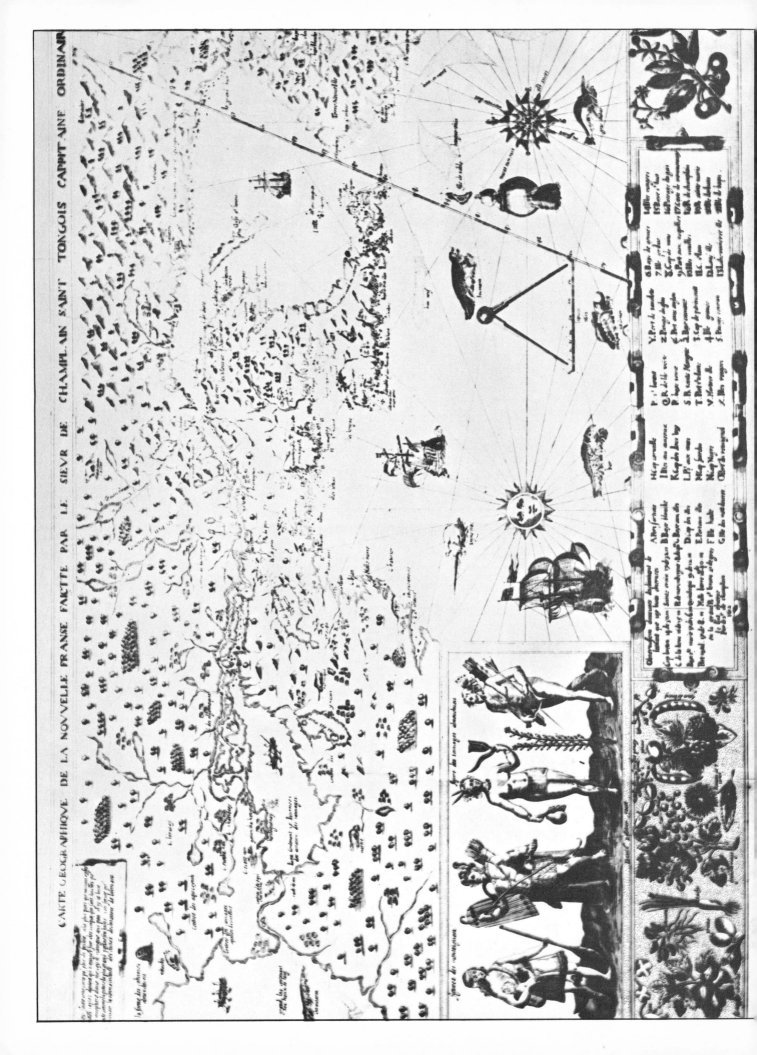

CARTE GEOGRAPHIQVE DE LA NOVVELLE FRANSE FAICTE PAR LE SIEVR DE CHAMPLAIN SAINT TONGOIS CAPPITAINE ORDINAIR

32 — Une première représentation de la Nouvelle-France par Champlain

(carte de 1612, reproduite des *Œuvres* de CHAMPLAIN, éd. Laverdière, vol. III, p. 326)

Champlain avait déjà en 1607 dressé une carte de l'Acadie, mais ce n'était encore qu'une carte régionale, depuis La Hève jusqu'au cap Cod : cette carte de 1612 est la première dans laquelle il s'applique à représenter l'ensemble de la Nouvelle-France. Noter ici la première apparition du toponyme *Montréal*.

32—An Early Representation of New France by Champlain

(map of 1612, reproduced from *Œuvres de Champlain*, Laverdière, ed., Vol. III, p. 326)

Champlain had already drawn a map representing Acadia from La Hève to Cape Cod, but it was as yet only a regional map. This 1612 map was the first in which he attempted to define the whole of New France. It will be noted that the name *Montreal* makes its first appearance here.

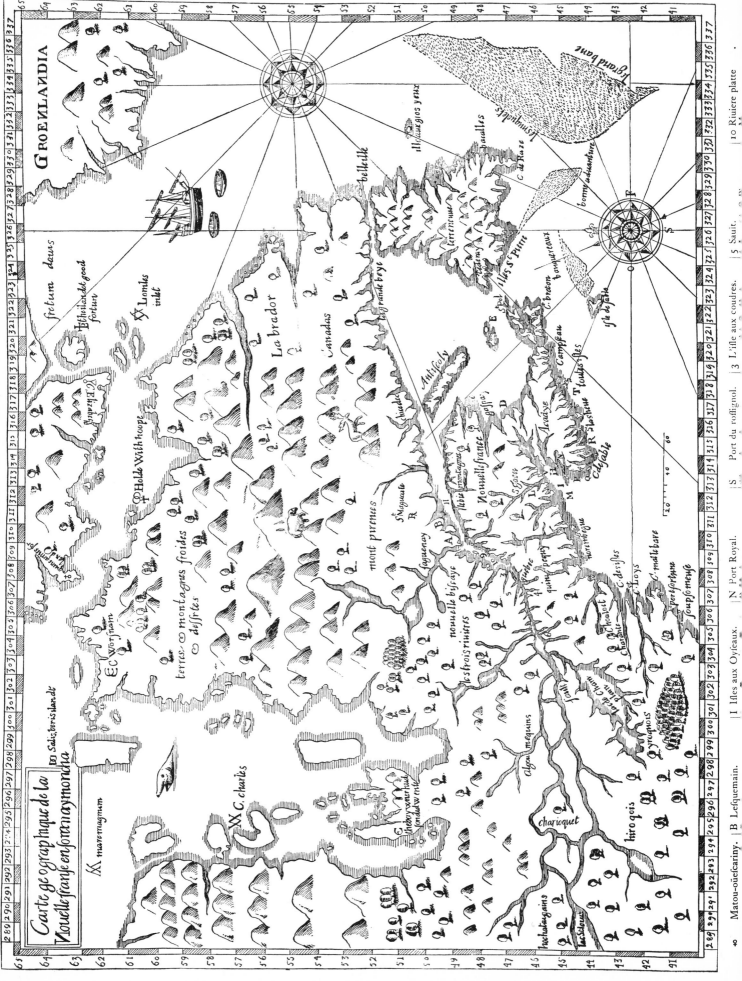

Carte geographique de la
Nouelle france en son vray meridien

GROENLANDIA

fretum davis

Estotilandt de good fortun

du Salis, terislandt

maremagnum

N C. charles

Thebex vour huit conduictu ente

EC vorsiam

terres montagnes froides desertes

Holde With roope

La brador

canadas

S.C Elizabeth

Lomds inlet

la grande baye

belleile

Anticosti

chiedae

mont pirenes

saguenay

les troisrivieres

nouelle biscaye

labie montagne

Nouellefrance

A

B

S.Maguaste

R

Algomequins

charioquet

hiroquois

hochatangans

la Seigne

Quebec

quin pegu

morethegue

tadousac

Chorboat

Charout

St Loys

C malebare

portfortune

Soupsomeye

saguenay

gaspe

S. Sauis

Acadie

Campseau

R Sushue Toutes Jles

Casjable

D

M

E.S.pol

C. brazon

banquereaux

Isles S. Pierre

C. de Raze

Jacalles

ill. aux gios yeux

Isl grand banc

bonny aduenture

isle de sabla

60 40 20

33 — Une Nouvelle-France qui s'étend jusqu'au détroit d'Hudson

(carte de Champlain, à la fin de 1612 ou au début de 1613 : reproduite des *Œuvres* de CHAMPLAIN, éd. Laverdière, vol. III, p. 274)

Champlain ajoute à sa carte de la Nouvelle-France la carte anglaise de Gerritsz, qu'il reproduit fidèlement, à l'exception de l'inscription latine qui attribue à Hudson la découverte de la grande baie. Il introduit comme nouveaux éléments le lac Champlain qu'il a lui-même visité et le lac Saint-Louis (Ontario) que le jeune Étienne Brûlé avait probablement déjà vu : toutefois, Champlain n'a pas encore remonté la rivière des Outaouais (alors appelée *rivière des Algoumequins)*.

33—A New France Extending to Hudson Strait

(map by Champlain, late 1612 or early 1613; reproduced from *Œuvres de Champlain*, Laverdière, ed., Vol. III, p. 274)

Champlain has combined his map of New France with the English may by Gerritsz, which he has reproduced faithfully with the exception of the Latin inscription attributing the discovery of the great bay to Hudson. New elements he has introduced include Lake Champlain, which he had visited himself, and Lake St. Louis (Ontario), which had probably been seen by young Étienne Brûlé. At this date, however, Champlain had not yet explored up the Ottawa River (then called *rivière des Algoumequins)*.

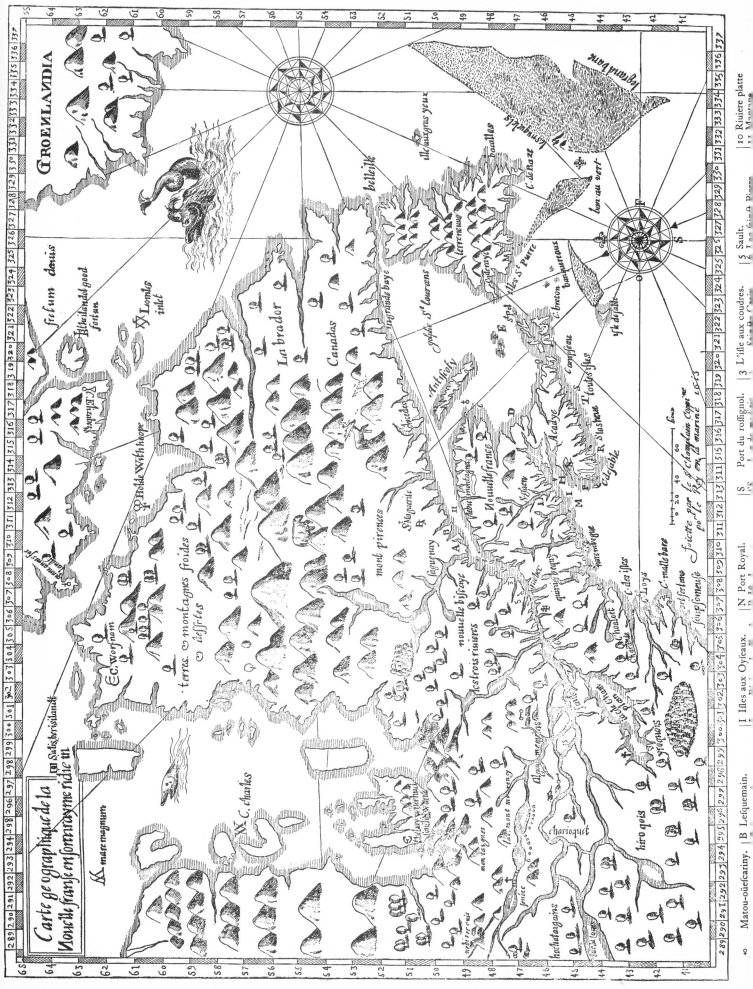

Carte geographique de la
Nouelle franse en son vray meridien

GROENLANDIA

34 — Une nouvelle route stratégique : la rivière des Outaouais

(carte de Champlain à la fin de 1613 : reproduite des *Œuvres* de CHAMPLAIN, éd. Laverdière, vol. I, p. 422)

Utilisant toujours la même carte, y compris la carte anglaise de Gerritsz, Champlain présente de nouveau l'ensemble de la Nouvelle-France. Le seul nouvel élément qui soit d'importance est le dessin plus détaillé de la rivière des Outaouais (ici *rivière des Algoumequins*) : Champlain vient de la remonter jusqu'à l'île aux Allumettes, point extrême qu'il a marqué d'une croix.

34—A Strategic New Route: The Ottawa River

(map by Champlain, late 1613; reproduced from *Œuvres de Champlain*, Laverdière, ed., Vol. I, p. 422)

Using the same map, including the parts copied from Gerritsz's English map, Champlain once again shows the whole of New France. The only important new element is the more detailed tracing of the Ottawa River (shown here as *rivière des Algoumequins*). Champlain had explored up it as far as Allumette Island, at which point he has marked a cross.

35 — La Nouvelle-France en 1632 (carte de Champlain en 1632, reproduite des *Œuvres* de CHAMPLAIN, éd. Laverdière, vol. III, p. 1385)

La dernière carte de Champlain, d'une gravure de belle qualité et d'un très beau fini, marque pour longte un sommet dans la cartographie du XVIIe siècle : de l'Acadie à la *Mer douce,* on s'émerveille de la précisio travail géographique.

Le grand lac à l'extrémité ouest serait le lac Supérieur qu'Étienne Brûlé aurait vu : il manque encor lac Érié, seulement esquissé, et le lac Michigan.

-New France in 1632

(Champlain's map of 1632, reproduced from *Œuvres de Champlain*,
Laverdière, ed.,. Vol. III, p. 1385)

amplain's last map, a beautifully finished, high-quality engraving, was long to be unequalled in 17th-century
graphy. The detail of Acadia and the *Mer douce* is a marvel of geographic accuracy.

e huge lake at the extreme west must be Lake Superior, as no doubt seen by Étienne Brûlé. Still missing
Lake Erie, of which there is a bare suggestion, and Lake Michigan.

LE CANADA, ou NOUVELLE FRANCE, &c.

Ce qui est le plus advance vers le Septentrion
est tire de diverses Relations des Anglois, Danois, &c.
Vers le Midy les Costes de Virginie, Nouvelle Suede
Nouveau Pays Bas, et Nouvelle Angleterre
Sont tirees de celles des Anglois, Hollandois, &c.
LA GRANDE RIVIERE DE CANADA ou de St LAURENS, et
tous les environs sont suivant les Relations des Francois.
Par N. Sanson d'Abbeville Geographe ordinaire du Roy.
A PARIS.
Chez Pierre Mariette, Rue St Iacque a l'Esperance.
Avecq Privilege du Roy, pour vingt Ans.
1656.

NOUVEAU DANEMARCQ.

MER CHRISTIANE

GROENLANDE

Destroit de Davis

ESTOTILANDE, ou TERRE DE LABORADOR

NOUVELLE BRETAGNE.

MER DE CANADA

MER DE NORT

TERRE NEUVE.

GOLFE DE St LAURENS

TERRES ARCTIQUES

Destroit de Hudson

Golfe de Hudson

Hudson Bay.

South walles.

New Buttons

New North

NOUVELLE FRANCE.

LE SAGUENAY, Ou OUTAGAMI.

LAC SUPERIEUR.

LAC DE PUANS

ONTARIO, ou LAC DE St LOUIS

NOUVELLE ANGLE TERRE

ACADIE

FLORIDE

LA FLORIDE ESPAGNOLE

**36 — La cartographie de la Nouvelle-France au mi-
lieu du siècle**

(carte de Nicolas Sanson d'Abbeville, 1656 : Archives
publiques du Canada)

Géographe du Roi, Nicolas Sanson d'Abbeville réunit ici les données qu'on a reçues en France. La vallée
du Saint-Laurent est représentée avec précision ; il en
est de même de l'Iroquoisie. Les Grands Lacs sont
en place : lac Ontario ou Saint-Louis (que les cartes
de Champlain avaient fait connaître), lac Érié (qui
jusqu'ici était à peine esquissé), lac des Hurons et
deux lacs dont l'exploration est encore incomplète :
lac Supérieur et lac Michigan (appelé ici lac des
Puants).

Pour les régions nordiques, Sanson se conforme à
la cartographie anglaise.

36—The Cartography of New France at Mid-Century

(map by Nicolas Sanson d'Abbeville, 1656; Public
Archives of Canada)

The King's geographer, Nicolas Sanson d'Abbeville,
here brings together all the facts available in France.
The St. Lawrence Valley is drawn with considerable
accuracy, as is the Iroquois country. The Great Lakes
are correctly located: Lake Ontario or St. Louis, which
had been mapped by Champlain; Lake Erie, of which
there had previously been only a suggestion; Lake
Huron and the two lakes whose exploration was still
incomplete, Lake Superior and Lake Michigan (here
called *lac des Puants).*

For the northern regions, Sanson has relied upon
English cartography.

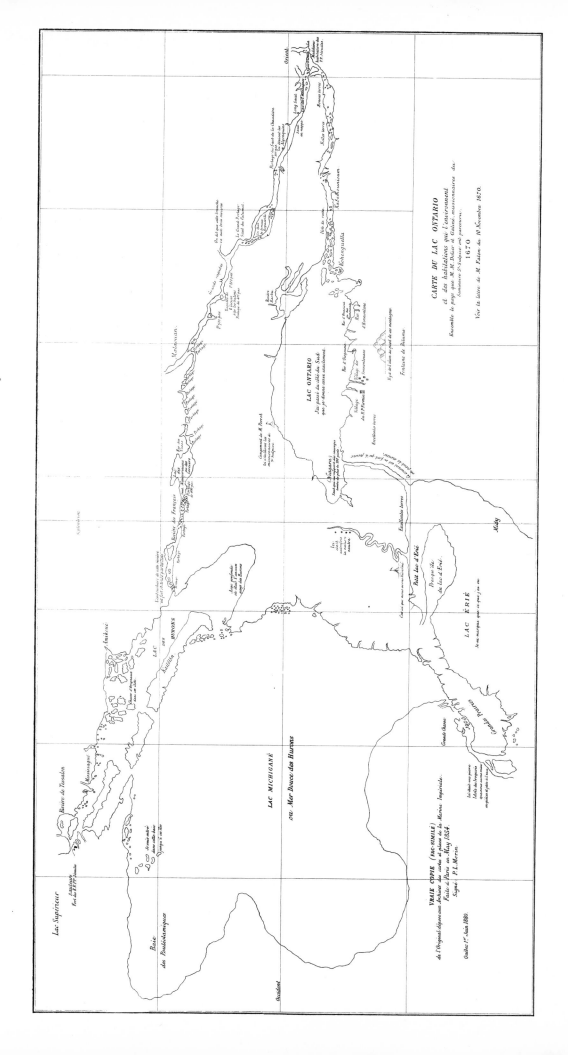

Lac Supérieur

Sdultault
Port des RR.PP. Jésuites

Rivière de Tossalon

Mississaque

Je suis entré
dans cette baie
jusques à un isle

Baie
des Pouteatamiques

Amikoué

LAC MICHIGANÉ

ou Mer Douce des Hurons

LAC
DES
HURONS

Nation des

Eau profonde
dit lac l'Iroquoi
passe des Hurons

Linibouchure de cette rivière
est fort difficile à la trouver

Rivière des François

Portage

Portage
Portage

Portage

Rivière des
du lac des
des
Lancours

Portage
Portage

Campement de M Pèrot
les vicaire et les
missionnaires de
St Sulpice

Metchetan.

Septembre

Le Grand Portage
Sault de Calumet

On dit que cette tranche
va dans l'eau douce

Portage du Sault de la Chaudière
qui haut

Grande cascade

Portage
des cascades

Portage de 40 pas

Pays pas

LAC ONTARIO

J'ai passé du côté du Sud
que je donne assez exactement.

Gananogué.
Sault que l'on regarde des rivages
tombes de plus de 100 pieds

Niagara

Excellentes terres

Bar l'Onguiaahé

Village des
du B.B P'armais

Bar d'Onguiaahé
Bar d'Onguiaahé
du Ganeousoé

Il n'y a ici aucun que au montagnes

Fontaine de Bitume

Riulle terre

Katchenoneum

Iile de roche

Kachenguela

Kchenguela

Katchenoneum

CARTE DU LAC ONTARIO
et des habitations qui l'environnent
Ensemble le pays que M.M. Dolier de Galiné, missionnaires du
Seminaire St Sulpice ont parcouru.
1670
Voir la lettre de M. Faton du 10 Novembre 1670.

Orient

Excellentes terres

Petit Lac d'Erié

Presqu'ile
du lac d'Erié

Maley

LAC ÉRIÉ
Je ne marque que ce que j'ai vu

Grande Chasse

Contrées prairies

Ici étoit une pierre
l'idole des Iroquois
qui a'aboui aurou mais
en peu de gible à l'eau

VRAIE COPIE (FAC-SIMILE)
de l'Original déposé aux Archives des cartes et plans de la Marine Impériale.
Faite à Paris en May 1854.
Signé: P.L.Morin.

Québec 1er Juin 1880

Occident

90

37 — Une seconde route stratégique : le haut Saint-Laurent

(carte de Bréhant de Galinée en 1670 : reproduite de Gabriel GRAVIER, *Carte des Grands Lacs de l'Amérique du Nord dressée en 1670 par Bréhan de Gallinée*, Rouen, 1895)

Deux routes d'eau conduisent aux Pays d'en haut : l'une, la rivière des Outaouais, route algonquine et huronne que l'on utilise pour la traite, parce qu'on y est mieux à l'abri des Iroquois ; l'autre, le haut Saint-Laurent que les guerres iroquoises rendent impraticable au commerce : on en fera, au XVIIIe siècle, un boulevard militaire.

De cette deuxième route, la première exploration méthodique est due aux sulpiciens Dollier de Casson et Bréhant de Galinée en 1669-1670 : ils remontent le Saint-Laurent, passent l'hiver sur la rive nord du lac Érié, se rendent à Michillimakinac et reviennent à Montréal par la rivière des Outaouais.

La carte que dresse Galinée en 1670 n'est pas l'œuvre d'un cartographe de métier, mais celle d'un voyageur qui, comme l'écrit d'ailleurs l'auteur, ne note que ce qu'il a vu. Elle est défectueuse en bien des points : par exemple, les sulpiciens n'ont pas vu les chutes Niagara et c'est pourquoi Galinée parle d'un courant « si fort qu'à peine on peut le monter » ; du lac des Hurons et du lac Michigan, il fait une même vaste mer, appelée *Michigané*. Dans l'ensemble, cette carte est en retard sur celle de Sanson, publiée quatorze ans plus tôt, mais à la cartographie des lacs Ontario et Érié elle est une importante contribution ; et elle est l'une des rares cartes de l'époque à décrire avec autant de précision la route d'eau qui relie la baie Georgienne à la rivière des Outaouais.

37—A Second Strategic Route: The Upper St. Lawrence

(map by Bréhant de Galinée, 1670; reproduced from Gabriel GRAVIER, *Carte des Grands Lacs de l'Amérique du Nord dressée en 1670 par Bréhan de Gallinée*, Rouen, 1895)

Two waterways led to the *Pays d'en haut* or Great Lakes region: the first was the Ottawa River, which, being less vulnerable to Iroquois attack, was the route used by the Algonquins and Hurons coming to trade their furs; the second was the upper St. Lawrence, which was an impractical trade route due to the Iroquois wars. The latter was to become a military highway in the 18th century.

The first methodical exploration of this second route was carried out by the Sulpicians Dollier de Casson and Bréhant de Galinée in 1669-1670. They paddled up the St. Lawrence and spent the winter on the north shore of Lake Erie, then continued to Michilimackinac and returned to Montreal by the Ottawa River.

The map drawn by Galinée in 1670 is not the work of a skilled cartographer, but of a traveller who, as the author himself writes, described only what he saw. It contains many imperfections. The Sulpicians never saw the Niagara cataracts, for example, and that is why Galinée mentions only a current "so strong that one can barely make way against it." Lakes Huron and Michigan are shown as one enormous sea, called *Michigané*. Taken as a whole, this map is far outdated by Sanson's, which was published fourteen years earlier. Nevertheless, it contributes much to the cartography of Lakes Ontario and Érié, and few maps of the period show as accurate a tracing of the waterway linking Georgian Bay with the Ottawa River.

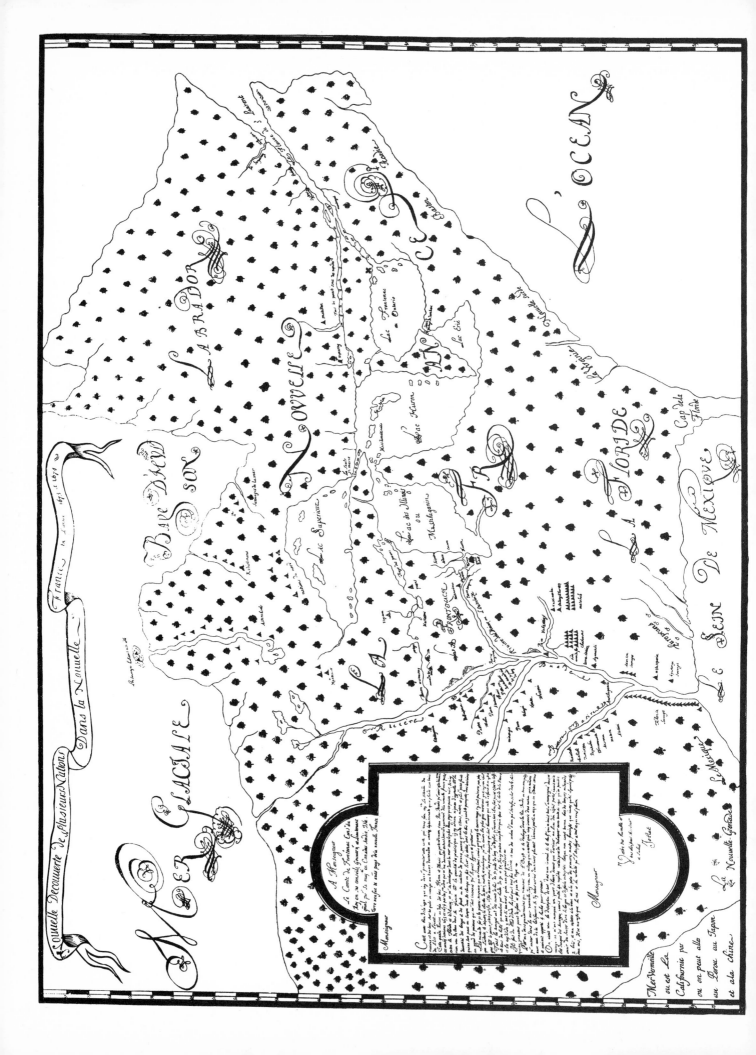

38 — La découverte du Mississipi, 1673

(copie anonyme d'une carte de Louis Jolliet : Archives du Séminaire de Québec)

Revenu du voyage qu'il vient de faire sur le Mississipi, Louis Jolliet a tracé une carte des régions qu'il a visitées (au sud du 33e degré, la représentation n'est qu'hypothétique). Après l'Acadie et le Canada, une nouvelle contrée s'ajoute à la Nouvelle-France : la Louisiane. Située au sud de la Frontenacie, elle est arrosée par un fleuve, le Mississipi, auquel ici on essaie d'imposer un nom, *Buade,* qui n'aura qu'une brève carrière.

38—The Discovery of the Mississippi, 1673

(anonymous copy of a map by Louis Jolliet; Archives of the Quebec Seminary)

On his return from his Mississippi expedition, Louis Jolliet drew a map of the regions he had visited; south of the 33rd parallel, the representation is only hypothetical. New France, already comprising Acadia and Canada, has acquired a new territory, Louisiana, to the south of *La Frontenacie*. Through it flows a great river, the Mississippi, to which an attempt is made here to affix the name *Buade;* the name was to be shortlived.

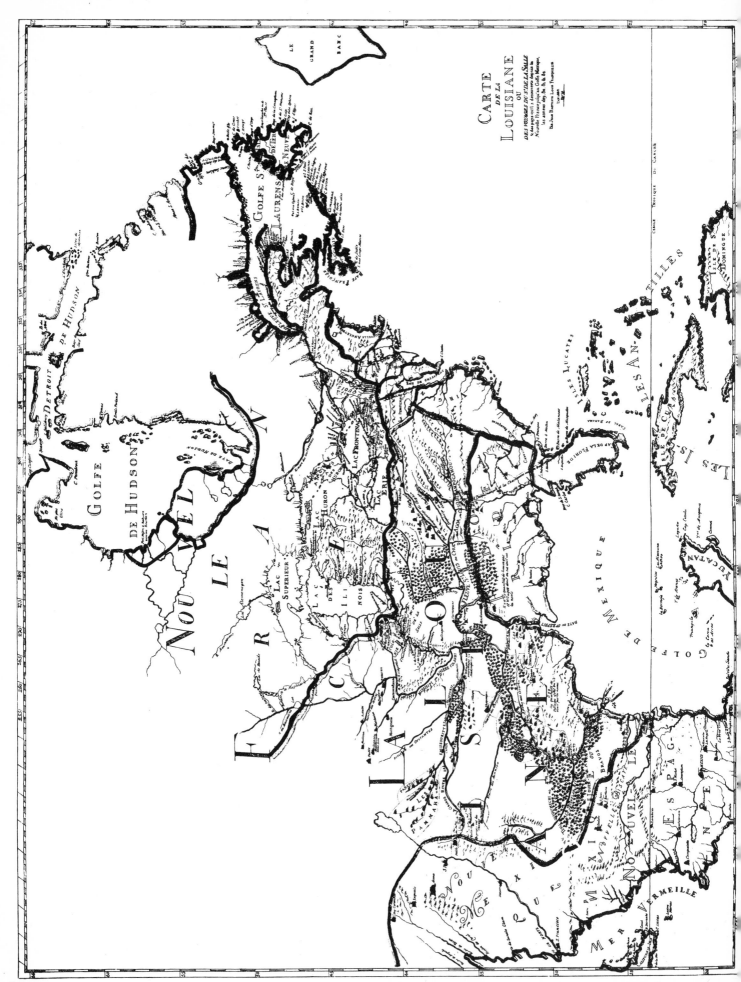

CARTE
DE LA
LOUISIANE
OU
DES VOYAGES DU S.R DE LA SALLE

94

39 — Le Mississipi de Cavelier de La Salle, 1684

(carte de Franquelin faite en 1684 sur les données recueillies par Cavelier de La Salle : Archives du Séminaire de Québec)

Le Mississipi était cette même rivière du Saint-Esprit que les Espagnols avaient découverte au XVIe siècle et remontée à plus de 400 milles de l'embouchure. La Salle s'entêta à soutenir que le Mississipi qu'il avait descendu en 1682 n'était pas la rivière déjà visitée par les Espagnols : il situait la sienne à l'ouest du golfe du Mexique. C'est cette version qu'illustre la carte de Franquelin : on voit le Mississipi ou rivière Colbert descendre d'abord vers le sud, puis tourner vers le sud-ouest, pour se déverser dans le golfe du Mexique, à la baie de Matagorda. Cette méprise ruinera l'expédition de 1684-1685.

39—The Mississippi of Cavelier de La Salle, 1684

(map by Franquelin drawn in 1684 and based upon facts assembled by Cavelier de La Salle; Archives of the Quebec Seminary)

The Mississippi was the same St. Esprit River that the Spaniards had discovered in the 16th century and had explored as far as 400 miles and more from its mouth. La Salle situated his river in the west of the Gulf of Mexico, adamantly insisting that the Mississippi he had descended in 1682 was not the river already visited by the Spaniards. This is the version illustrated by Franquelin's map, which shows the Mississippi or River Colbert flowing first south and then turning south-west to empty eventually into the Gulf of Mexico a the Bay of Matagorda. This mistake was to be the ruination of the 1684-1685 expedition.

TROISIÈME PARTIE

La Nouvelle-France du XVIIIe siècle

PART THREE

New France in the Eighteenth Century

IE DE LABRADOR

Interieur est entierement Inconnu

DES ESQUIMAUX

GLPHE DE

ENT

ISLE DE

TERRE-NEUVE

L'Interieur de l'Isle et le Cours
des Rivieres ne sont pas connus

Belle Isle

Cap Rond

Cap Bonavista

Banc a Vert
30. Brasses

40 — Terre-Neuve au XVIIIe siècle

(extrait d'une carte française de 1745 : Archives du Séminaire de Québec)

Même si la France a officiellement renoncé à Terre-Neuve par le traité de 1713 et si elle a dû évacuer la baie de Plaisance, les cartographes continuent de représenter Terre-Neuve comme une terre française, au littoral coiffé, la plupart du temps, de toponymes français. Sur la côte nord, noter les postes de pêche exploités jusqu'au détroit de Belle-Isle par les bourgeois de Québec.

40—Newfoundland in the 18th Century

(part of a French map of 1745; Archives of the Quebec Seminary)

Even though France had officially renounced her claim to Newfoundland by the treaty of 1713 and had been obliged to evacuate the *Baye de Plaisance* (Placentia Bay), French cartographers continued to represent Newfoundland as French, generally with French names gracing the coastline. On the North Shore will be seen the fisheries maintained by the merchants of Quebec all along the coast as far as the Strait of Belle Isle.

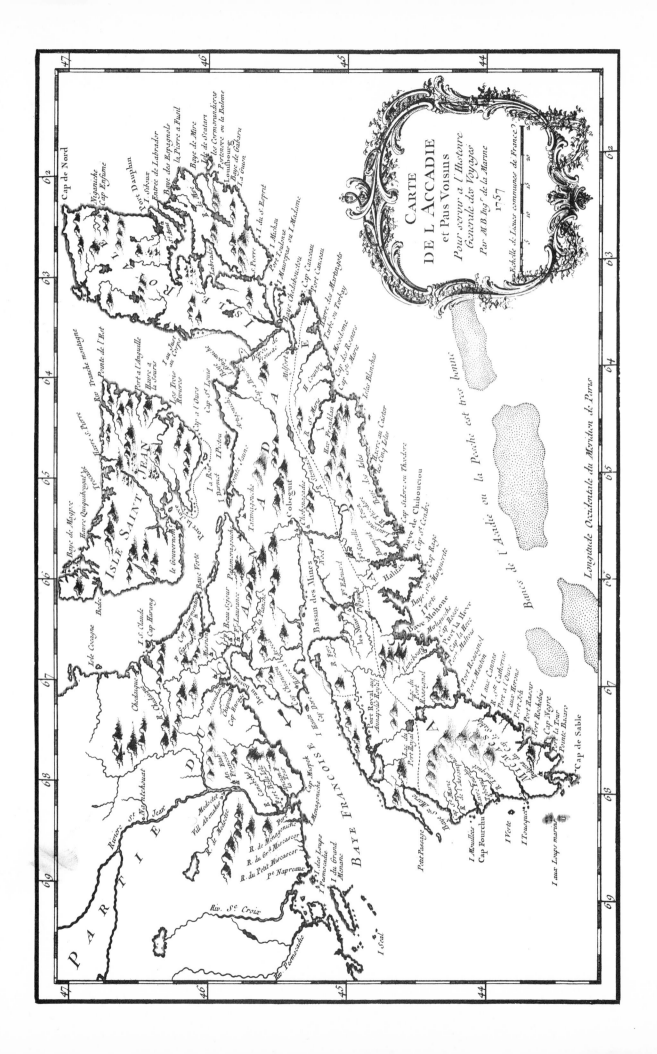

41 — L'Acadie au XVIIIe siècle : vue générale

(carte de Bellin, 1757 : Archives du Séminaire de Québec)

Faite après la déportation des Acadiens, cette carte montre le pays tel qu'il était avant le *grand dérangement :* la partie anglaise, avec Halifax fondé en 1749, et la partie française.

Le pointillé indique jusqu'où s'étendent les revendications de la France : on ne prétend laisser aux Anglais que la moitié sud de la péninsule. Quant aux îles Royale et Saint-Jean, elles sont encore possessions françaises.

41—Acadia in the 18th Century: An Overall View

(map by Bellin, 1757; Archives of the Quebec Seminary)

This map, drawn before the expulsion of the Acadians, shows the country as it was before the *grand dérangement,* the great upheaval, with a French part and an English part; Halifax was founded in 1749.

The dotted line shows the southern limit of the territory claimed by the French; the English were to be allowed only the southern half of the peninsula. Isle Royale and Isle St. Jean were still in the hands of the French.

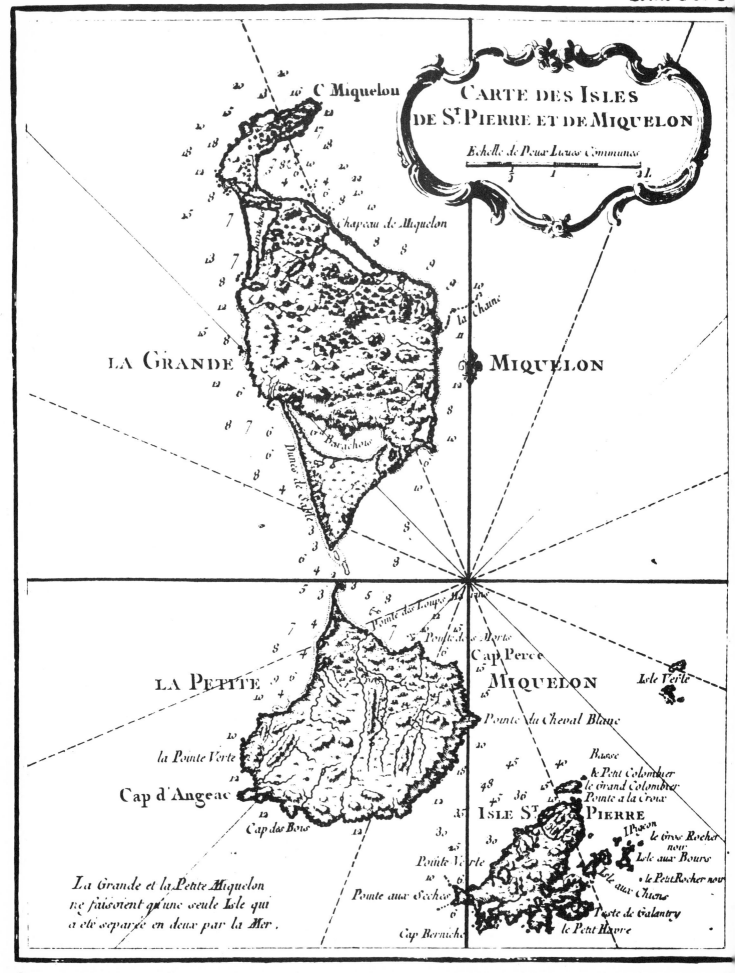

CARTE DES ISLES
DE St PIERRE ET DE MIQUELON

Echelle de Deux Lieues Communes

C. Miquelon

Chapeau de Miquelon

la Chaine

LA GRANDE

MIQUELON

Barachois

Dunes de l'Isle

Pointe des Loups Marins

Pointe des Morts

LA PETITE

Cap Perce
MIQUELON

Isle Verte

Pointe du Cheval Blanc

la Pointe Verte

Basse

le Petit Colombier
le Grand Colombier
Pointe a la Croix

Cap d'Angeac

ISLE St PIERRE

I. Pigeon
le Gros Rocher
noir
Isle aux Bours

Cap des Bois

Pointe Verte

le Petit Rocher noir
Isle aux Chiens

Teste de Galantry

Pointe aux Seches

le Petit Havre

Cap Berniche

La Grande et la Petite Miquelon
ne faisoient qu'une seule Isle qui
a été separée en deux par la Mer.

42 — L'Acadie au XVIIIᵉ siècle : les îles Saint-Pierre et Miquelon

(carte de BELLIN, reproduite de l'*Atlas maritime : l'Amérique septentrionale,* éd. 1764, Nᵒ 17)·

Situées près du littoral sud de Terre-Neuve, l'île Saint-Pierre et les deux îles Miquelon sont tout ce qui restera à la France, en 1763, de son empire nord-américain.

42—Acadia in the 18th Century: The Islands of St. Pierre and Miquelon

(map by BELLIN, reproduced from *Atlas maritime: l'Amérique septentrionale,* 1764 ed., No. 17)

After 1763, the islands of St. Pierre and Miquelon, off the southern coast of Newfoundland, were to be the sole remaining vestiges of France's North American empire.

GOLPHE SAINT LAURENT

Latitude Septentrionale

ISLE SAINT JEAN

ISLE ROYALE

Labrador

Cap de Nord
Havre d'Aspe
Ance d'Ourachouque
Cap Brafume
Nigamiche
Cap S.t Laurent

Isle de Chataan
Ban au Saumon
Isle aux Loups Marins
Havre a la Pranture
Cap Mabou
Isles au Jujst au Corps

Rivière Tranche Montagne
Pointe de l'Est
l'Echourie
Port a l'Anguille
Havre a la Souris
Les Trois Rivieres

Cap S.t Louis
Baye d'Argoniche
Cap Bouchet
Havre de Milfort

Cap a l'Ours

I. Picou

Port Dauphin B
Ilsles Sibout
Grande Entrée de Labrador
Isle Verdronne de Labrador
Petite Entrée de Labrador
Baye des Espagnols
Cap Indienne au More
Baye des Charbons
Cap Perce
la Pierre a Fuzal
Baye de Moranne
Cap Brule
Havre de More
le Menadou
las Comoranderas
I. de Scatari
Ance aux Cannas
Islet de Portnove
Port Lorambec
Grand Lorambec
Louisbourg A.
Baye de Gabaru
Isle a Cruyon

Isles du S.t Esprit
Isles Michaux

S.t Pierre
Port Toulouse
Port
Langlou
Chadbouctou
Isle de Passaget
I. Verte
Isle de Petit Deguil
Grand Passage
Nerichau
Ilile Madame
Isles et Port de Cinceau
Cap Canseau
Havre des Mariagois

Detroit de Fronsac

Longitude Occidentale du Méridien de Paris.

L'ISLE ROYALE
Située a l'Entrée du Golphe
de Sarnt Laurent

Echelle de Dix Lieues Communes.
1 2 3 4 5

104

43 — L'Acadie au XVIIIᵉ siècle : l'île Royale

(carte de BELLIN, reproduite de l'*Atlas maritime : l'Amérique septentrionale*, éd. 1764, Nᵒ 22)

Après le traité d'Utrecht, le Cap-Breton (appelé désormais *île Royale)* devient le centre de l'administration civile, militaire et religieuse de l'Acadie française ; la capitale en est Louisbourg, ville-forteresse édifiée à partir de 1714. A gauche apparaît l'extrémité de l'île Saint-Jean (la future île du Prince-Édouard).

43—Acadia in the 18th Century: Isle Royale

(map by BELLIN, reproduced from *Atlas maritime: l'Amérique septentrionale*, 1764 ed., No. 22)

Following the Treaty of Utrecht, Cape Breton (subsequently called *Isle Royale)* became the centre of civil, military and religious administration for French Acadia. Its capital was Louisbourg, a fortified town whose building was begun in 1714. At the left will be seen the tip of Isle St. Jean (the future **Prince Edward Island**).

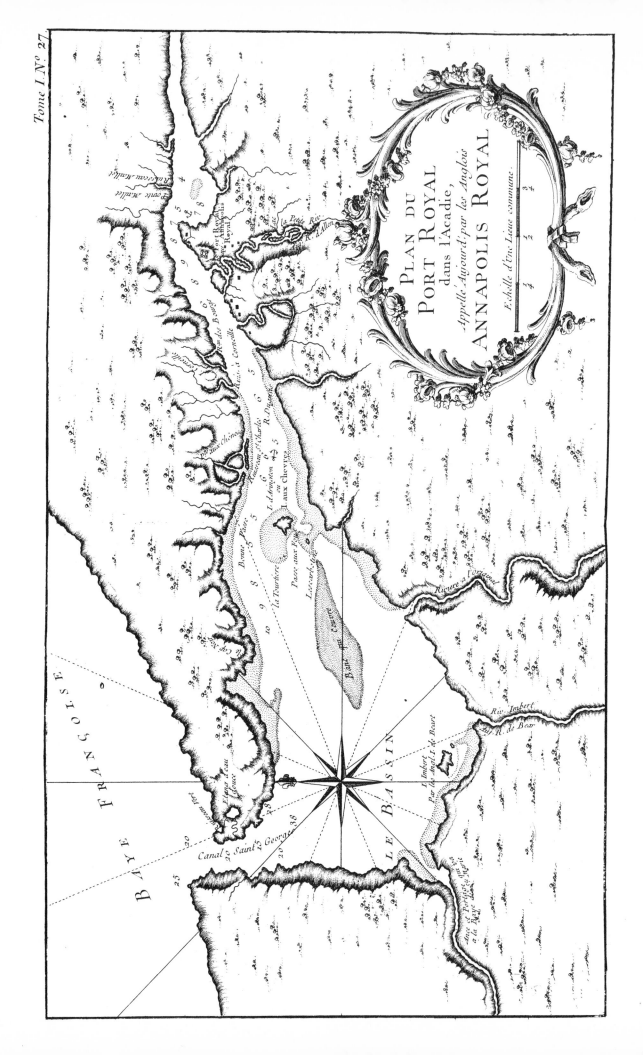

PLAN DU
PORT ROYAL
dans l'Acadie
Appellé Aujourd'hui par les Anglois
ANNAPOLIS ROYAL

Echelle d'Une Lieue commune.

BAYE FRANÇOISE

LE BASSIN

Canal Saint George

44 — L'Acadie au XVIIIe siècle : la baie de Port-Royal

(carte de BELLIN, reproduite de l'*Atlas maritime : l'Amérique septentrionale*, éd. 1764, N° 27)

L'histoire française remonte ici à 1605, lorsque Du Gua de Monts y construit une Habitation sur la rive nord, au nord-est de l'île aux Chèvres. L'Habitation est détruite en 1613 par les Virginiens. Après le traité de Saint-Germain-en-Laye, les Français érigent un nouvel établissement, cette fois sur l'autre rive, à l'embouchure de la rivière : pris en 1654, rendu en 1667 et repris une dernière fois en 1710, Port-Royal devient Annapolis Royal et se développe en une petite colonie anglaise au milieu de ces colons acadiens, soumis depuis 1713 à la Couronne britannique.

44—Acadia in the 18th Century: The Bay of Port Royal

(map by BELLIN, reproduced from *Atlas maritime: l'Amérique septentrionale*, 1764 ed., No. 27)

Here French history goes back to 1605, when Du Gua de Monts built a settlement on the north shore, north-east of *île aux Chèvres* (Goat Island). This settlement was destroyed by the Virginians in 1613. After the Treaty of St. Germain-en-Laye, the French established another settlement, this time at the mouth of the river on the opposite shore. Port Royal was seized in 1654, was restored in 1667 and changed hands for good in 1710, becoming Annapolis Royal and developing into a little English colony surrounded by Acadians, all subjects of the British Crown from 1713 on.

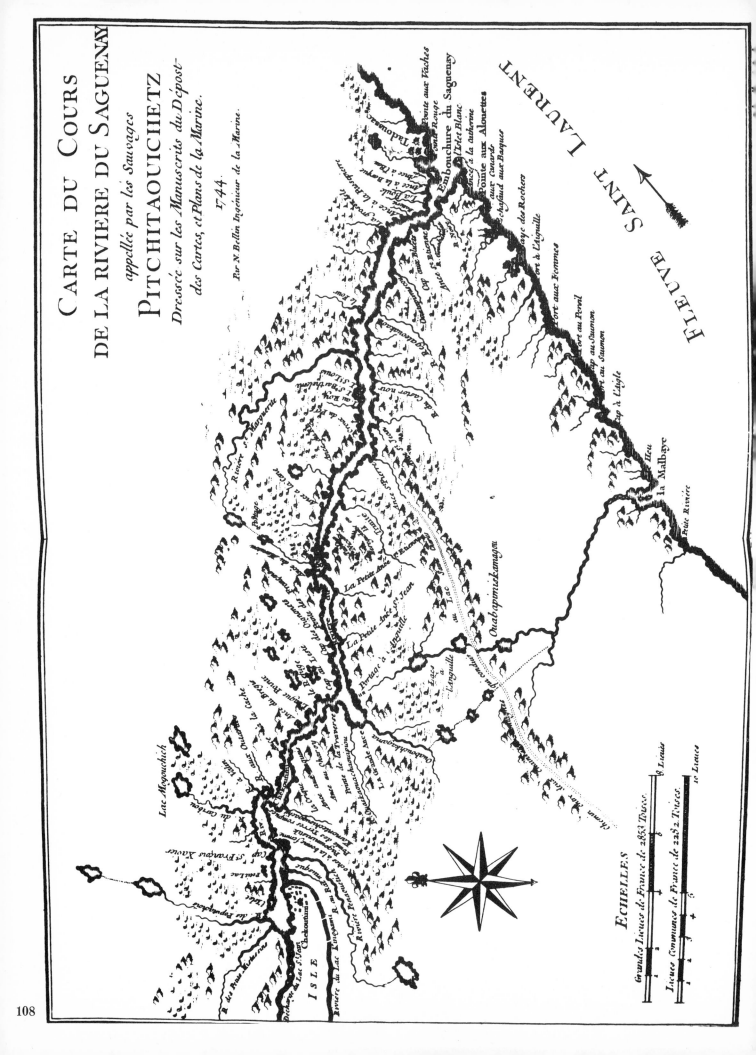

CARTE DU COURS
DE LA RIVIERE DU SAGUENAY
appellée par les Sauvages
PITCHITAOUICHETZ
Dressée sur les Manuscrits du Dépost
des Cartes, et Plans de la Marine.
1744.
Par N. Bellin Ingénieur de la Marine.

FLEUVE SAINT LAURENT

ECHELLES
Grandes Lieues de France de 2853. Toises.
Lieues Communes de France de 2282. Toises.

45 — Le Canada au XVIIIe siècle : le Saguenay

(carte de Bellin en 1744, reproduite de CHARLEVOIX, *Histoire et description générale de la Nouvelle-France*, éd. 1744, vol. III, p. 64)

Le Saguenay coule au centre d'un immense domaine qu'on appelle *Postes du Roi* (la Malbaie, Tadoussac, les Islets-Jérémie, Sept-Isles et Chicoutimi), domaine qui est affermé à un grand entrepreneur de la traite. La carte de Bellin présente ici le cours du Saguenay depuis « Chekoutimi » jusqu'à l'embouchure.

45—Canada in the 18th Century: The Saguenay

(map of 1744 by Bellin, reproduced from CHARLEVOIX, *Histoire et description générale de la Nouvelle-France*, 1744 ed., Vol. III, p. 64)

The Saguenay flowed through an immense domain known as *Postes du Roi* (La Malbaie, Tadoussac, les Islets-Jérémie, Sept-Isles and Chicoutimi); the entire domain was leased to an important fur trader. Bellin's map shows the course of the Saguenay from "Chekoutimi" to its mouth.

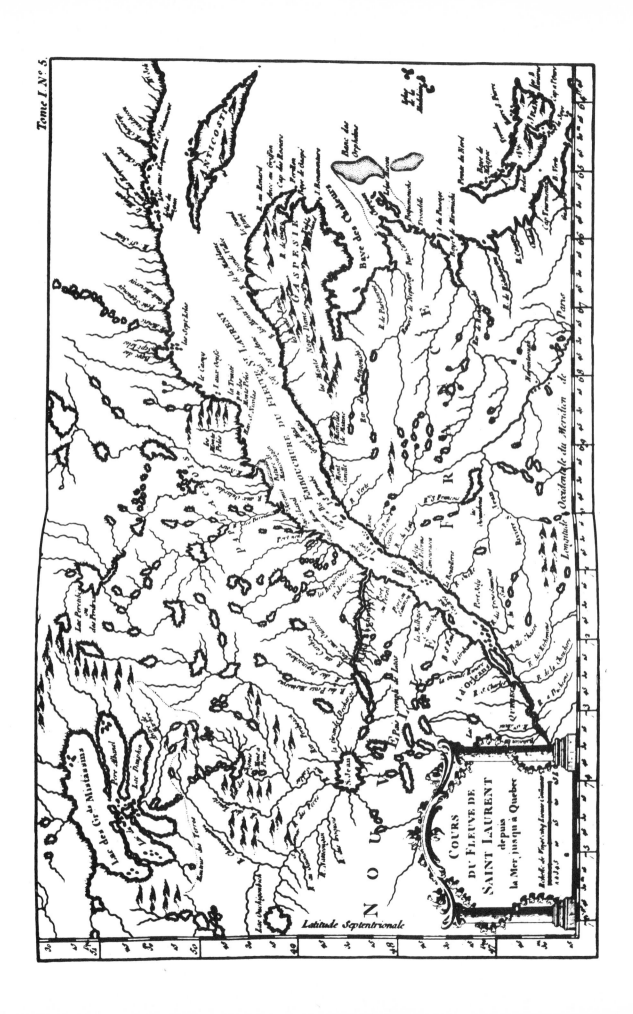

46 — Le Canada au XVIIIᵉ siècle : de Québec au golfe

(carte de BELLIN, reproduite de l'*Atlas maritime : l'Amérique septentrionale*, éd. 1764, Nᵒ 5)

Sur la rive nord, le peuplement devient nul en bas des Éboulements ; sur la rive sud, Kamouraska est le dernier établissement vraiment structuré ; Rivière-du-Loup et Rimouski sont isolés et, au point de vue religieux, ne sont que des missions.

46—Canada in the 18th Century: From Quebec to the Gulf

(map by BELLIN, reproduced from *Atlas maritime: l'Amérique septentrionale*, 1764 ed., No. 5)

Below Les Éboulements on the North Shore, the country was unpopulated. On the South Shore, Kamouraska was the last settlement having any real administrative structure ; Rivière du Loup and Rimouski were isolated, and counted only as missions as far as the Church was concerned.

PARTIE DU FLEUVE S.ᵗ LAURENT
avec le Passage de la Traverse
et les Isles Voisines
Echelle de deux Lieues Communes.

47 — Le Canada au XVIIIᵉ siècle : le cimetière marin de l'archipel d'Orléans

(carte de BELLIN, reproduite de l'*Atlas maritime : l'Amérique septentrionale*, éd. 1764, Nᵒ 7)

Après la longue traversée de l'Atlantique, qui dure un ou deux mois, c'est en arrivant au golfe Saint-Laurent que les navires doivent affronter les périls les plus nombreux : la montée du Saint-Laurent, qui ne peut se faire qu'avec l'aide du *nordet,* est l'opération la plus difficile du voyage, et c'est à mesure qu'on approche du terme, Québec, qu'elle présente le plus de dangers. La région située immédiatement à l'est de l'île d'Orléans est célèbre par ses naufrages.

47—Canada in the 18th Century: The Ship Graveyard of the Orleans Archipelago

(map by BELLIN, reproduced from *Atlas maritime: l'Amérique septentrionale*, 1764 ed., No. 7)

It was on arriving in the Gulf of St. Lawrence, after the long transatlantic voyage of a month or two, that ships encountered most of their navigational hazards. The ascent of the St. Lawrence was the most difficult part of the voyage, and could be accomplished only with the help of the wind known as the *nordet*. But the gravest dangers of all awaited them as they neared Quebec, their final destination. The river immediately east of the Isle of Orleans was renowned as the scene of many a shipwreck.

CARTE
DU LAC CHAMPLAIN
Echelle de Huit Lieues Communes.

PARTIE DU FLEUVE St. LAURENT
depuis Quebec jusqu'au Lac St. François
Echelle de Douze Lieues Communes.

48 — Le Canada au XVIIIᵉ siècle : de Montréal à Québec

(carte de BELLIN, reproduite de l'*Atlas maritime : l'Amérique septentrionale*, éd. 1764, Nᵒ 10)

C'est de Montréal à Québec que la Nouvelle-France est le plus densément habitée : Bellin ne s'attache pas ici à démontrer la densité de ce peuplement, mais on peut la déduire de l'énumération des lieux habités, sur les deux rives du Saint-Laurent. Autre constatation : la toponymie est, en général, définitive.

48—Canada in the 18th Century: From Montreal to Quebec

(map by BELLIN, reproduced from *Atlas maritime: l'Amérique septentrionale*, 1764 ed., No. 10)

It was between Montreal and Quebec that New France was most densely populated. Though Bellin makes no attempt to show the density of population here, it can be surmised from the large number of settlements indicated on both sides of the St. Lawrence. It will also be observed that, generally speaking, the nomenclature was to become permanent.

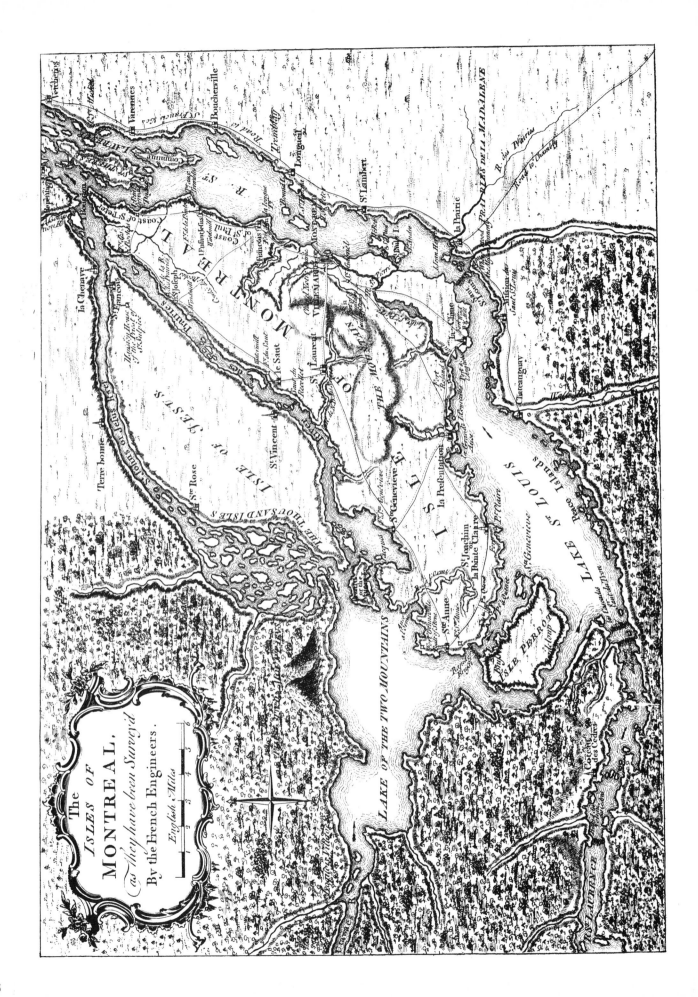

116

49 — Le Canada au XVIIIe siècle : la région de Montréal

(carte anglaise faite au début du régime anglais d'après une carte française : Archives du Séminaire de Québec)

Longtemps en retard sur celles de Québec et des Trois-Rivières, la région de Montréal répare rapidement son infériorité dès le début du XVIIIe siècle, à cause de l'excellence de ses terres et de sa situation comme porte d'entrée des Pays d'en haut.

En plus d'indiquer les forts et les églises, cette carte nous présente aussi le réseau des communications terrestres : les cartes qui le font sont alors extrêmement rares.

49—Canada in the 18th Century: The Montreal Region

(an English map drawn early in the English régime after a French map; Archives of the Quebec Seminary)

Although for many years it had lagged behind the areas centred about Quebec and Trois-Rivières, the Montreal region quickly closed the gap early in the 18th century, owing to the fertility of its farmland and its excellent position as the gateway to the *Pays d'en haut.*

Besides locating the forts and churches, this map shows the network of overland communications, which is rare among maps of the period.

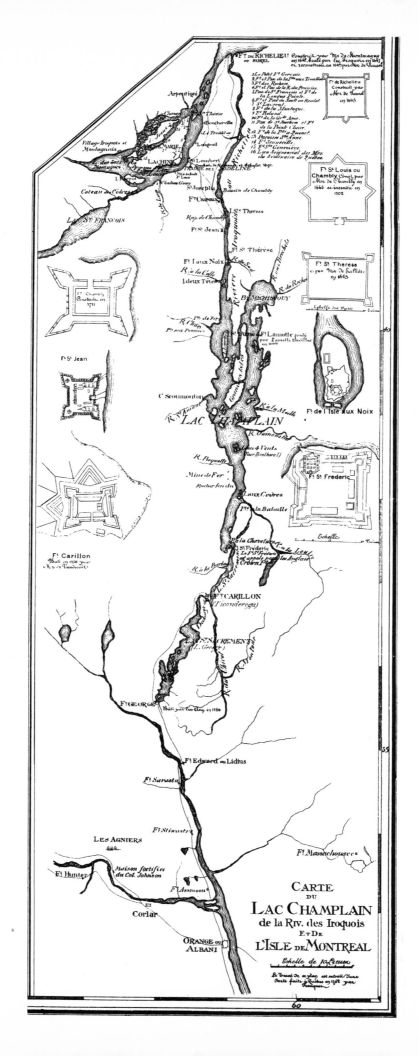

CARTE
DU
LAC CHAMPLAIN
de la Riv. des Iroquois
ET DE
L'ISLE DE MONTRÉAL

50 — Le Canada au XVIIIᵉ siècle : le lac Champlain

(reconstitution sur une carte moderne d'après une carte faite par Franquet en 1752, avec addition d'éléments postérieurs : Archives du Séminaire de Québec)

Pour barrer la route traditionnelle des invasions, les Français érigent des forts sur la rivière Richelieu, puis, à mesure que le péril anglais se fait menaçant, on prolonge la ligne de défense de plus en plus vers le sud, cependant que, de leur côté, les Anglais prolongent la leur vers le nord : lorsque Franquet visite cette région en 1752, c'est l'époque de la course à l'occupation du lac Champlain.

50—Canada in the 18th Century: Lake Champlain

(reconstitution on a modern map after a map drawn by Franquet in 1752, with later additions; Archives of the Quebec Seminary)

To block the traditional invasion route, the French built forts on the Richelieu River, then, as the threat from the English grew increasingly ominous, extended their line of defense further and further south. The English, meanwhile, were extending theirs toward the north. When Franquet visited the area in 1752, the race for control of Lake Champlain was in full swing.

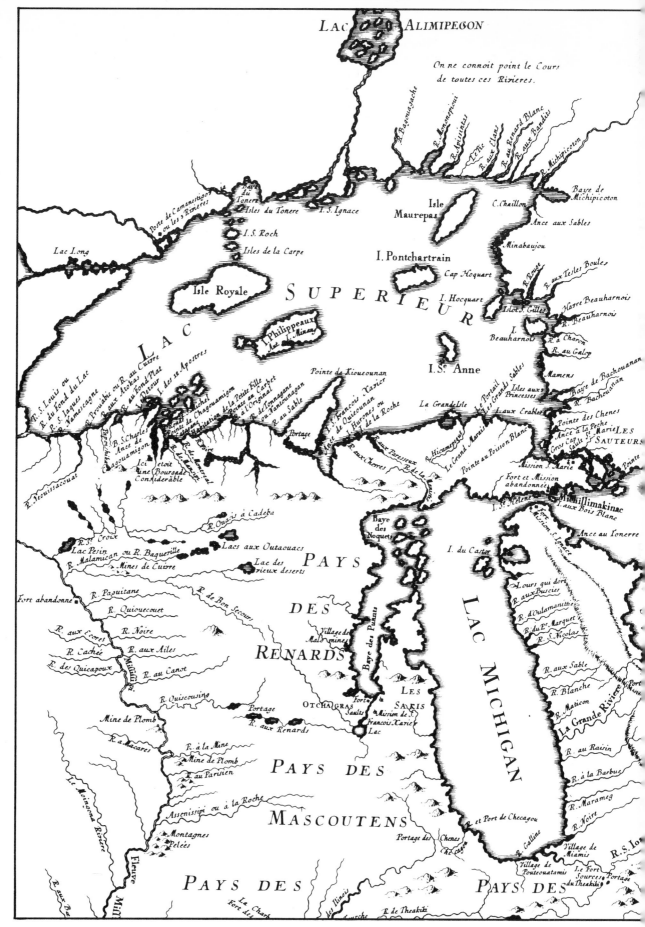

51 — Les Pays d'en haut au XVIIIe siècle (carte de Bellin, 1755 : Archives publiques du Canada)

Les Pays d'en haut sont l'ensemble des Grands Lacs ; ils ont pour capitale civile et militaire, Détroit ; po[ur] capitale religieuse, Michillimakinac, le tout ne groupant que quelque 600 habitants. C'est le royaume de la tra[ite] des fourrures : cette carte de Bellin nous permet de localiser tous ces forts et postes qui gardent les voies d'[ar]rivée de la pelleterie.

– *Les Pays d'en haut* **or the Great Lakes Region in the 18th Century** (map by Bellin; Public Archives of Canada)

es Pays d'en haut comprised the entire Great Lakes basin. The civil and military capital was Detroit and
religious capital was Michilimackinac, with only some 600 inhabitants between them. This was the kingdom
he fur trade. On this map of Bellin's we may see all the forts and posts guarding the routes by which fur
s were brought to the trading centres.

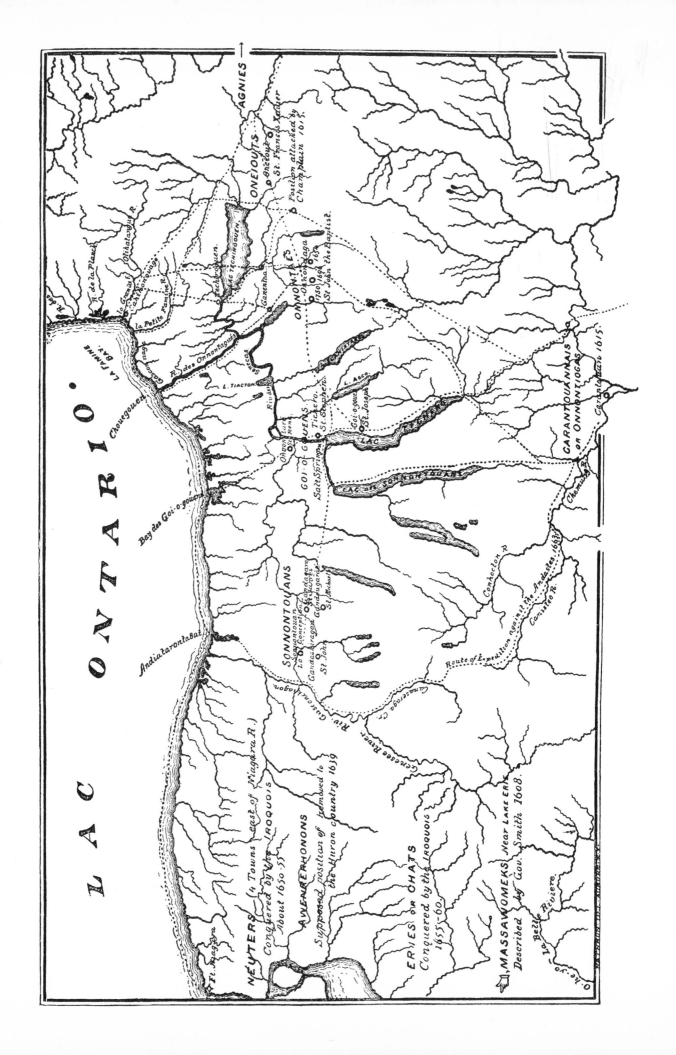

52 — L'Iroquoisie

(carte moderne reproduite de WINSOR, *Narrative and Critical History of America*, vol. IV, p. 293)

Au XVIIᵉ siècle, l'Iroquoisie n'est guère encore qu'une entité géographique, chaque nation iroquoise ayant en somme sa propre politique extérieure ou telle nation agissant à l'encontre de telle autre; d'ailleurs, presque tout le long du XVIIᵉ siècle, le péril iroquois, c'est le péril agnier. Au XVIIIᵉ siècle, isolés des autres Amérindiens et sous la pression des politiques française et anglaise, l'Iroquoisie acquiert plus de consistance; on dit couramment pour désigner les Iroquois : les Cinq-Nations.

Ces cinq nations sont les suivantes, en allant d'ouest en est :

52—The Iroquois Country

(a modern map reproduced from WINSOR, *Narrative and Critical History of America*, Vol. IV, p. 293)

In the 17th century, the Iroquois country was as yet little more than a geographic region. Each Iroquois nation conducted its own affairs with the outside world, and one nation was frequently in opposition to another. Moreover, throughout almost the entire 17th century, the Iroquois menace was in fact the Mohawk menace. In the 18th century, however, alienated from the other Amerindians and hard-pressed by French and English opposition, the Five Nations, as the Iroquois are often called collectively, closed ranks and acquired a degree of unity.

From west to east, the Five Nations are as follows:

Tsonnontouans	Senecas
Goyogouins	Cayugas
Onontagués	Onondagas
Onneyouts	Oneidas
Agniers	Mohawks

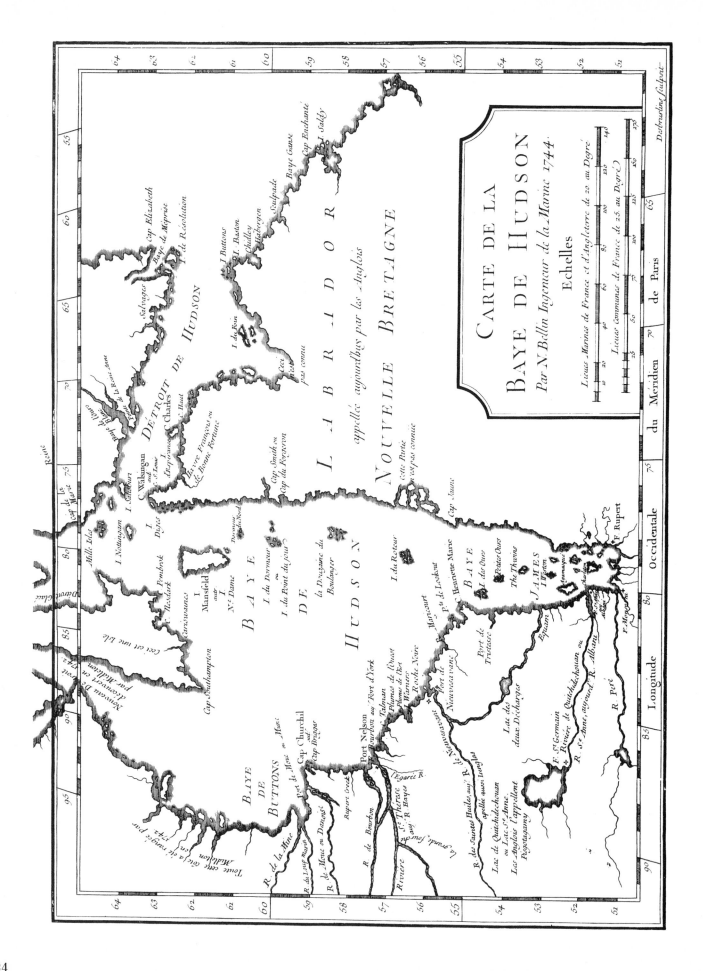

53 — La baie d'Hudson au XVIIIe siècle

(carte de Bellin, 1744 : Archives du Séminaire de Québec)

Perdue pour la France depuis 1713, la baie d'Hudson est ici représentée avec une double toponymie : l'ancienne toponymie française et la nouvelle toponymie anglaise (cette dernière traduite en français) ; procédé extrêmement utile pour l'historien qui essaie de se retrouver dans ces lieux où les toponymes changent chaque fois que changent les propriétaires.

53—Hudson Bay in the 18th Century

(map by Bellin, 1744; Archives of the Quebec Seminary)

Hudson Bay, lost to the French since 1713, is represented here with a double nomenclature, the old which is French and the new which is English (the latter translated into French); a most helpful technique for the historian trying to find his way around in places where the names change with every change of ownership.

ESSAI *d'une* CARTE *que* Mr Guillaume Delisle P.^{er} Geographe *du* ROY
et de l'Académie des Sciences avoit joint à son Mémoire presenté à la Cour en 1717. Sur la
MER DE L'OUEST.

La gravure de l'Original n'est
que d'un simple trait, et la Mer
est lavée en couleur d'eau.

BAYE D'HUDSON

55

50

Affinipoils

C A N A D A

Sioux   Lac   Superieur

Pointe du S.^t
Esprit   Nipiffiriniens

MER DE L'OUEST   Outaouacs

Hurons
Neu
tres

Aouia   *le Miſſouri*

C. Blanc

C. Mendocin

Quivira   Panis

Riv.^{re} de l'Ouest   Ilinois

CALIFORNIE

Cibola

Nouveau   Virginie

Mexique   Choumans

L O U I S I A N E

Caroline

MER

DU

SUD

Miſſiſipi

Floride

Embouchure
du Miſſiſipi

GOLFE DU MEXIQUE

MEXIQUE

»Cette MER DE L'OUEST (*disoit* Mr Delisle *dans un Mémoire imprimé en*
»*1706. au sujet d'un Procès de contrefaction*) *est une de mes Découvertes; Mais*
» *comme il n'est pas toujours à propos de publier ce que l'on sçait ou ce que l'on*
» *croit sçavoir, je n'ai pas fait graver cette* Mer de l'Ouest *dans les ouvrages que j'ai*
» *rendu publics, ne voulant pas que les Etrangers profitassent de cette Découverte,*
» *quelle qu'elle pût être, avant que l'on eut reconnu dans ce Royaume si l'on en pour-*
» *roit tirer quelque avantage. Mais je l'avois mis sur le Globe Manuscrit que j'eus*
» *l'honneur de présenter (en 1697.) à* M. *le Chancelier Boucherat, et j'ai donné*
» *(en 1700.) à* M. *le Comte de Pontchartrain les preuves de l'existence de cette Mer.*

Cette Carte *a rapport à la Seconde partie des* Eclaircissemens *du Mémoire*
Présenté et lû à l'Académie des Sciences le 9. Août 1752. par Phil. Buache.

54 — Encore la recherche de la mer de l'Ouest

(carte de Guillaume Delisle, 1717 : Archives du Séminaire de Québec)

Cette *Mare Indicum,* que Verrazano avait cru apercevoir au-delà d'un isthme en 1524, a bien reculé sur les cartes : Guillaume Delisle la situe, en 1717, au nord du Nouveau-Mexique et de la Californie ; en 1752, le géographe Buache reprend l'hypothèse ; entre temps, Lavérendrye s'est évertué à parvenir à cette mer dont on lui disait toujours qu'elle n'était plus qu'à dix ou quinze jours de marche.

54—The Continuing Search for the Western Sea

(map by Guillaume Delisle, 1717; Archives of the Quebec Seminary)

For the 18th-century cartographer, the *Mare Indicum* that Verrazano thought he had seen in 1524 beyond an isthmus had receded considerably. In 1717, Guillaume Delisle located it to the north of New Mexico and California, and in 1752 the geographer Buache made the same assumption ; in the intervening period, Lavérendrye did his utmost to reach that sea, which was never more than ten or fifteen days' journey away, or so he was always told.

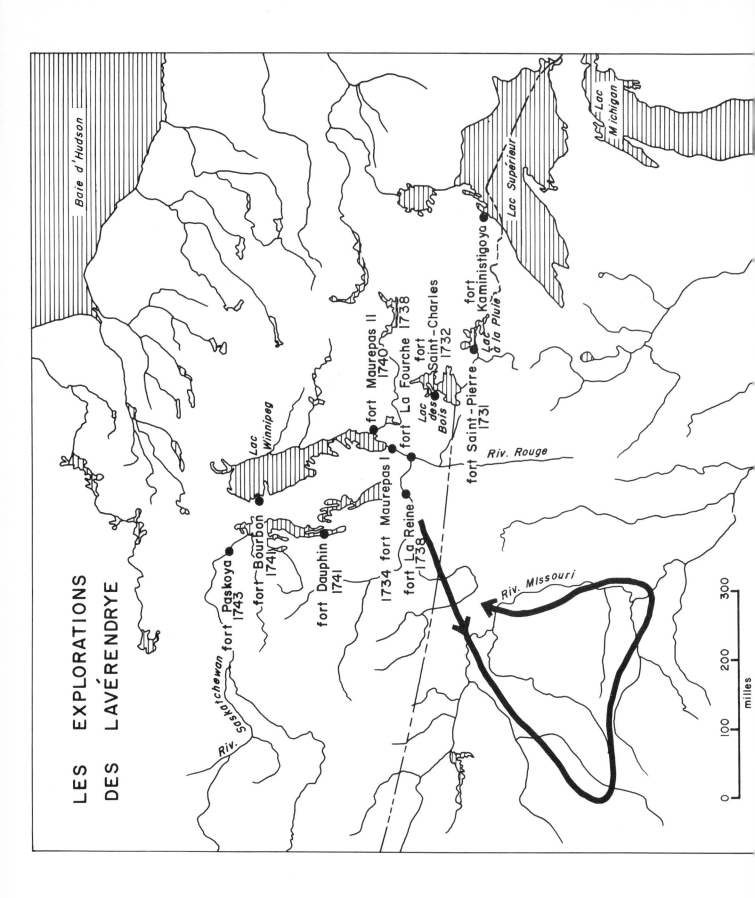

LES EXPLORATIONS DES LAVÉRENDRYE

Baie d'Hudson

Lac Supérieur

Lac Michigan

Lac Winnipeg

fort Maurepas II 1740

fort La Fourche 1738

fort Saint-Charles 1732

Lac des Bois

fort Saint-Pierre 1731

fort Kaministigoya

Lac à la Pluie

Riv. Rouge

fort Maurepas I

fort La Reine 1738

1734 fort Maurepas I

fort Dauphin 1741

fort Bourbon 1741

fort Paskoya 1743

Riv. Saskatchewan

Riv. Missouri

0   100   200   300

milles

55 — Les explorations des Lavérendrye

(carte tracée par Marcel Trudel)

Dans cette région que nous appelons aujourd'hui l'Ouest canadien et qu'on affermait au XVIIIᵉ siècle sous le nom de *Mer de l'Ouest,* Lavérendrye et ses fils vont tenter de canaliser vers Montréal cette traite qui se déversait naturellement et rapidement vers les comptoirs anglais de la baie d'Hudson. Pendant vingt ans, on s'appliquera à étendre une chaîne de postes, depuis Kaministigoya (porte d'entrée de ce pays) jusqu'en amont de la rivière Saskatchewan : fort Saint-Pierre, 1731 ; fort Saint-Charles, 1732 ; fort Maurepas I, 1734 ; forts La Fourche et La Reine, 1738 ; fort Maurepas II, 1740 ; forts Dauphin et Bourbon, 1741 ; fort Paskoya, 1743.

Le fort La Jonquière, construit en 1751 par le chevalier de Niverville, était non pas au lieu actuel de Calgary, mais en Saskatchewan, sur la rivière du même nom, à quelque cent milles de la frontière du Manitoba.

Une flèche indique la route suivie par Lavérendrye dans sa vaine recherche de la Mer de l'Ouest : la découverte des premiers contreforts des Rocheuses étatsuniennes oblige l'explorateur à rebrousser chemin.

55—The Lavérendrye Explorations

(map drawn by Marcel Trudel)

The region we know today as the Canadian West was leased out in the 18th century under the same *Mer de l'ouest,* the Western Sea. In this region, Lavérendrye and his sons set out to divert the flow of furs away from the English trading posts of Hudson Bay, where it found its way all too naturally and easily, and redirect it toward Montreal. Over a period of twenty years, a chain of posts was established, beginning at Kaministiquia, the point of entry for the region, and extending up the Saskatchewan River: Fort St. Pierre, 1731 ; Fort St. Charles, 1732 ; Fort Maurepas I, 1734 ; Forts La Fourche and La Reine, 1738 ; Fort Maurepas II, 1740 ; Forts Dauphin and Bourbon, 1741 ; Fort Paskoyac, 1743.

Fort La Jonquière, built in 1751 by the Chevalier de Niverville, was not at the present site of Calgary but in Saskatchewan, about one hundred miles away from the Manitoba border, on the Saskatchewan River.

An arrow traces the route followed by Lavérendrye in his vain search for the Western Sea. On discovering the first line of foothills to the American Rockies, he was obliged to turn back.

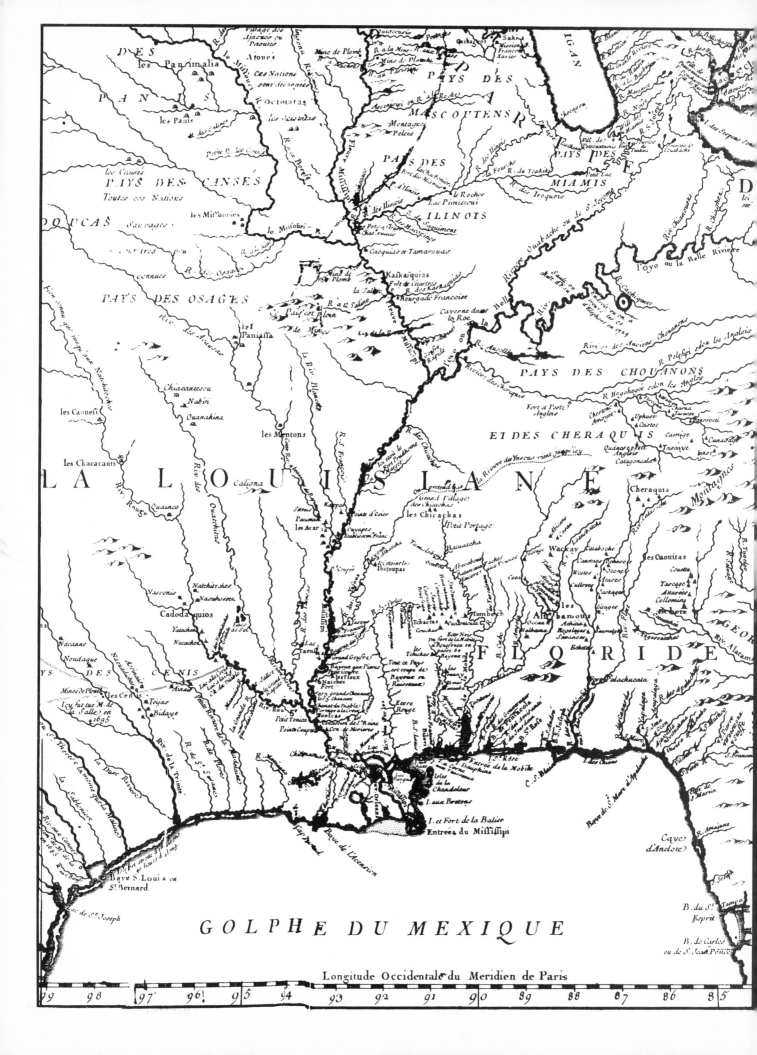

56 — La Louisiane au XVIIIe siècle

(carte de 1744 : Archives du Séminaire de Québec)

Partie la plus méridionale de la Nouvelle-France, la Louisiane comprend depuis 1717 tout le pays qui s'étend des Illinois au golfe du Mexique. Elle ne contient que deux agglomérations françaises (la Haute-Louisiane ou pays des Illinois et la région de la Nouvelle-Orléans, dite Basse-Louisiane), agglomérations séparées l'une de l'autre par un grand vide de 600 milles de long. Le gouverneur, le commissaire-ordonnateur et le grand-vicaire dépendent, en principe, du gouverneur général, de l'intendant et de l'évêque qui résident à Québec.

56—Louisiana in the 18th Century

(map of 1744; Archives of the Quebec Seminary)

From 1717, Louisiana, the southernmost part of New France, stretched all the way from the lands of the Illinois to the Gulf of Mexico. There were only two French centres of population, Upper Louisiana or the lands of the Illinois, and the region of New Orleans, called Lower Louisiana, separated by 600 miles of wilderness. In principle, the governor, the *commissaire-ordonnateur* and the vicar-general answered respectively to the governor-general, the intendant and the bishop at Quebec.

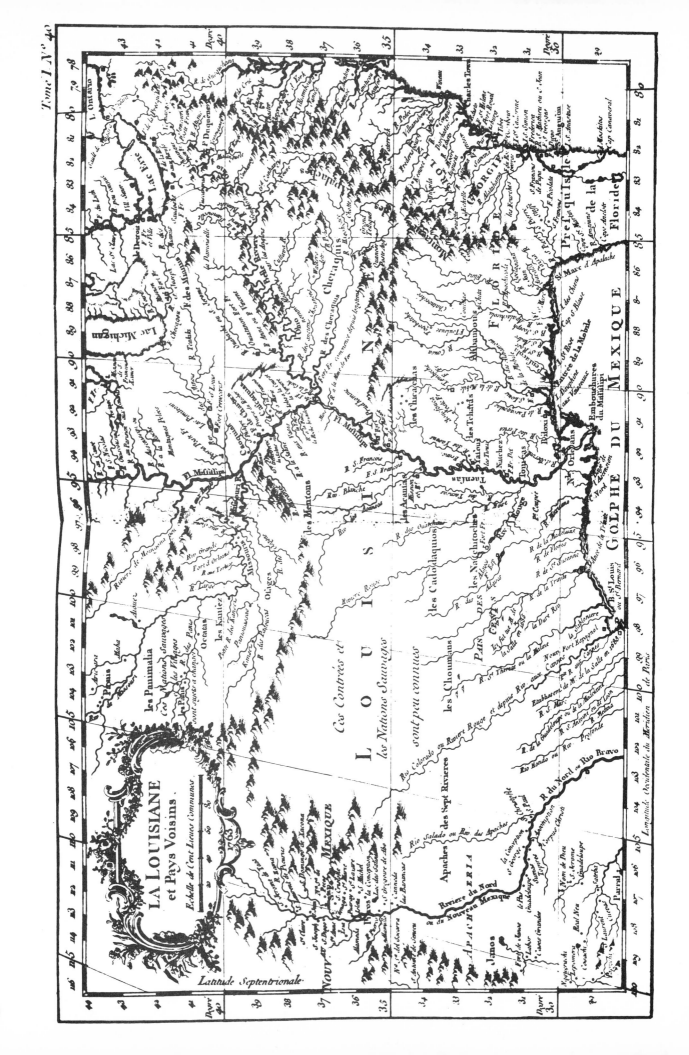

LA LOUISIANE
et Pays Voisins.

Echelle de Cent Lieues Communes

1763

57 — Autre représentation de la Louisiane au XVIIIe siècle

(carte de BELLIN, reproduite de l'*Atlas maritime : l'Amérique septentrionale*, éd. 1764, N° 40)

Voir les commentaires de la carte précédente.

57—Another Representation of Louisiana in the 18th Century

(map by BELLIN, reproduced from *Atlas maritime: l'Amérique septentrionale*, 1764 ed., No. 40)

See the remarks pertaining to the preceding map.

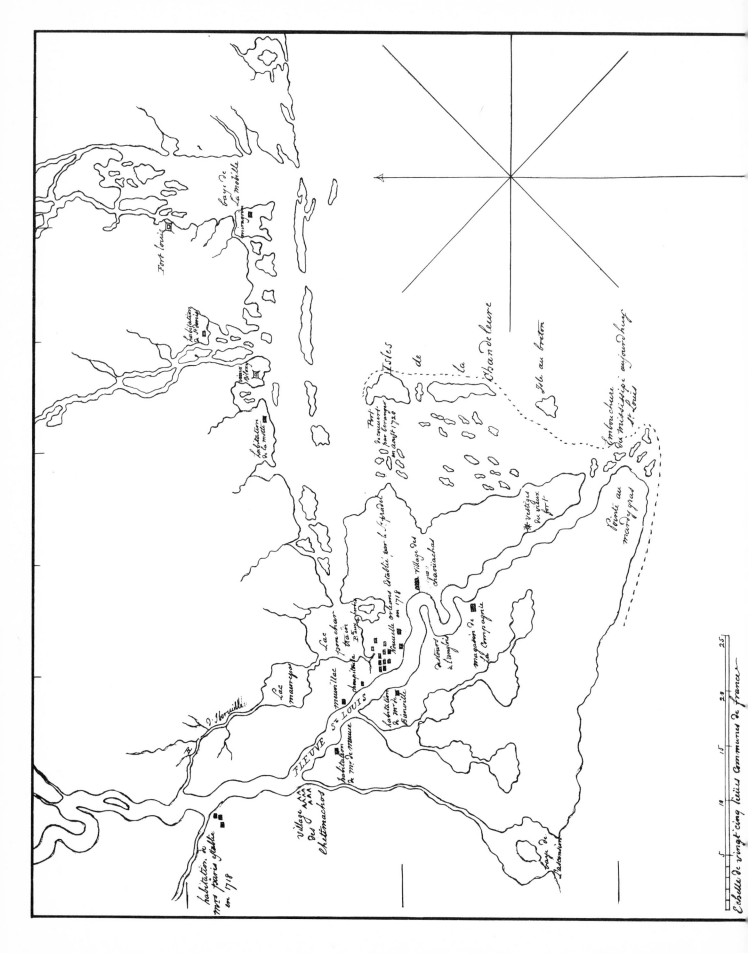

Eschelle de vingt cinq lieües Communes de France

58 — La Louisiane au XVIIIᵉ siècle : la Basse-Louisiane

(carte de la Basse-Louisiane vers 1720 : Archives du Séminaire de Québec)

Cette carte anonyme présente l'état de la Basse-Louisiane vers 1720, à l'époque où l'on essaie de donner une nouvelle impulsion à la colonie française. La Nouvelle-Orléans vient tout juste d'être établie (1718) et ne deviendra la capitale de la Louisiane qu'après l'abandon en 1722 de Biloxi.

58—Louisiana in the 18th Century: Lower Louisiana

(map of Lower Louisiana about 1720; Archives of the Quebec Seminary)

This anonymous map shows Lower Louisiana as it was about 1720; at this time, an effort was being made to inject new life into the French colony. New Orleans had only just been established, and was not to become the capital of Louisiana until after Biloxi was abandoned in 1722.

QUATRIÈME PARTIE

La conquête de la Nouvelle-France

PART FOUR

The Fall of New France

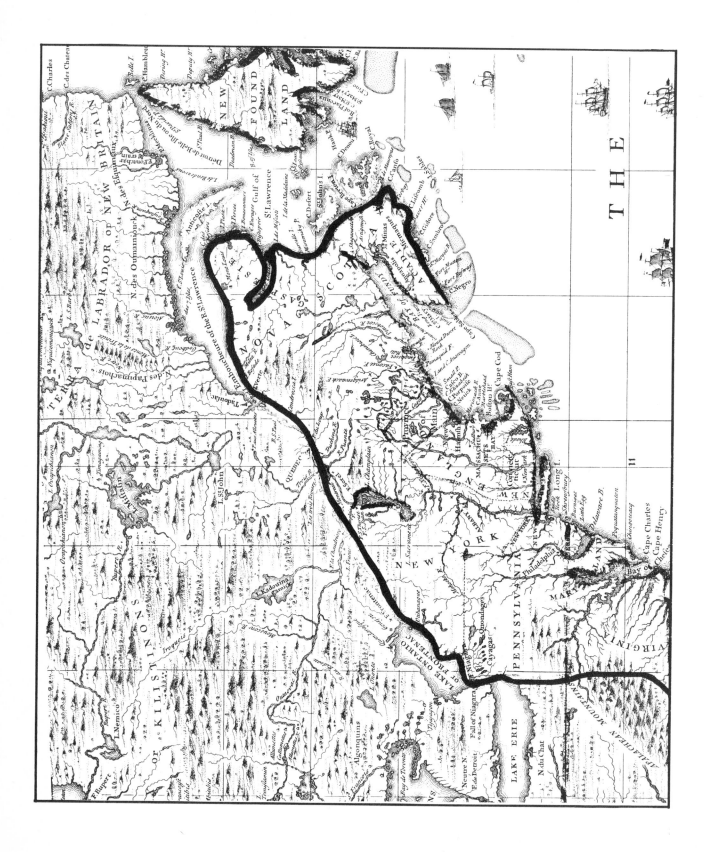

59 — Revendications anglaises en Amérique du Nord

(carte de Henry Popple : Archives du Séminaire de Québec)

Au début du XVIIIe siècle, les Anglais revendiquent tout le pays qui s'étend du littoral atlantique à la rive droite du Saint-Laurent, depuis l'Acadie et la Gaspésie jusqu'au lac Érié; la vallée de l'Ohio n'est pas encore devenue un enjeu international.

Du lac Érié au 45e degré, ce tracé correspond assez exactement à la frontière de 1774.

59—Territorial Claims of the English in North America

(map by Henry Popple; Archives of the Quebec Seminary)

In the early 18th century, the English laid claim to all the country between the Atlantic coast and the south shore of the St. Lawrence and from Acadia and the Gaspé to Lake Erie; the Ohio Valley was not yet at stake.

From Lake Erie to the 45th parallel, this line corresponds almost exactly to the boundary of 1774.

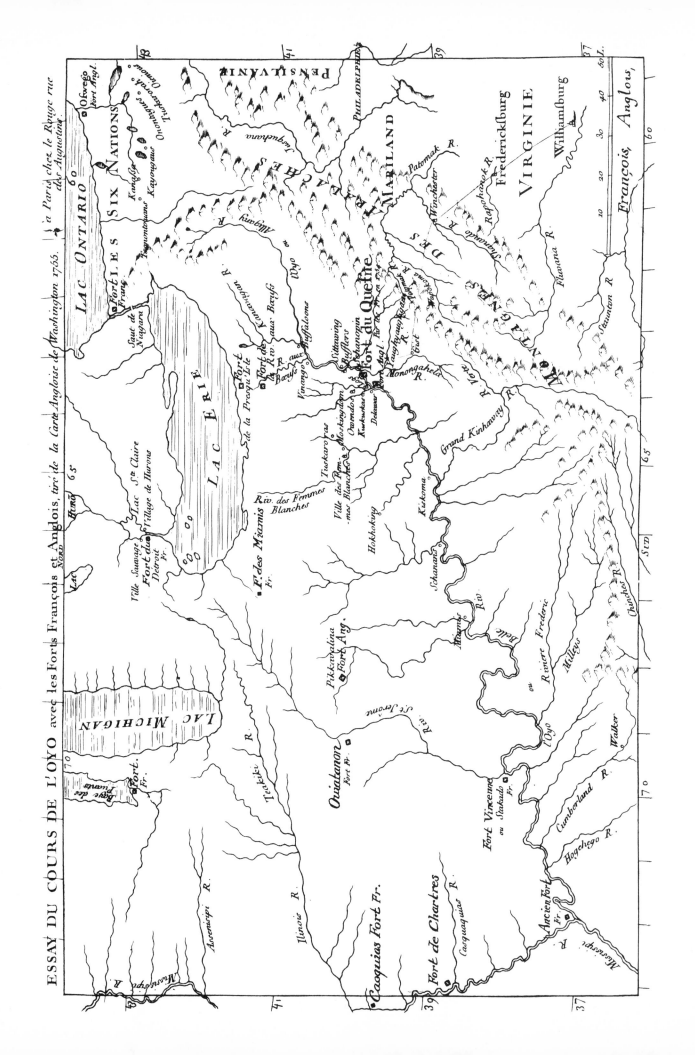

ESSAY DU COURS DE L'OYO avec les Forts François et Anglois, tiré de la Carte Angloise de Washington 1755. à Paris chez le Rouge rue des Augustins.

140

60 — Une région disputée : l'Ohio

(extrait d'une carte de George Washington, 1754 : Archives du Séminaire de Québec)

Parmi les papiers saisis sur Washington en 1754 au fort Necessity, se trouvait cette carte de l'Ohio, que l'éditeur Le Rouge publie en France en 1755.

Cette carte donne des détails qu'on ne trouve pas ailleurs ; elle permet, en tout cas, de suivre avec précision le déroulement de la guerre de l'Ohio en 1754 et en 1755.

60—A Region under Dispute: The Ohio Valley

(part of a map found in the possession of George Washington, 1754; Archives of the Quebec Seminary)

Among papers taken from George Washington at Fort Necessity in 1754 was this map of the Ohio Valley. It was published in France by Le Rouge in 1755.

This map gives details which are not found elsewhere. On it the development of the warfare in the Ohio Region in 1754 and 1755 can be followed closely.

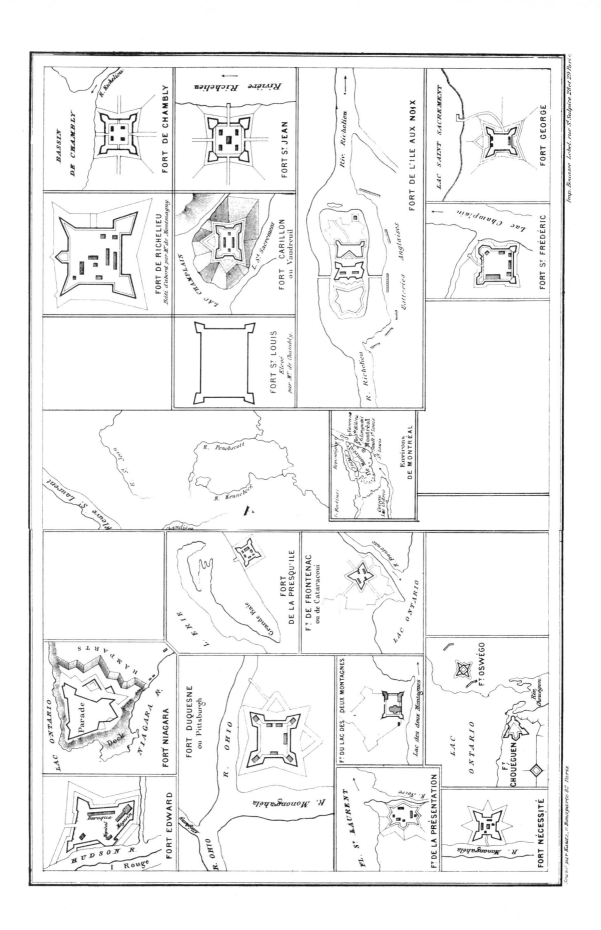

142

61 — Fortifications de la Nouvelle-France

(Archives du Séminaire de Québec)

On a réuni dans une même illustration les plans des fortifications du Saint-Laurent, du lac Champlain et des Grands Lacs : autant de systèmes divers adoptés selon la nature des lieux et les besoins de la défense. A l'exception du premier fort Richelieu, dont la carrière au XVIIᵉ siècle a été fort courte, nous avons ici les fortifications qui protègent la Nouvelle-France du XVIIIᵉ siècle. L'illustration réunit aussi quelques fortifications anglaises, qui ont été l'objectif des troupes françaises.

61—Forts of New France

(Archives of the Quebec Seminary)

Here on one page are the plans of the St. Lawrence, Lake Champlain and Great Lakes forts, their traces representing a variety of defensework systems appropriate to their locations and defensive requirements. With the exception of Fort Richelieu, which enjoyed a very brief existence in the 17th century, these were the forts which protected New France in the 18th century. Also shown here are a number of English forts which figured in French military operations.

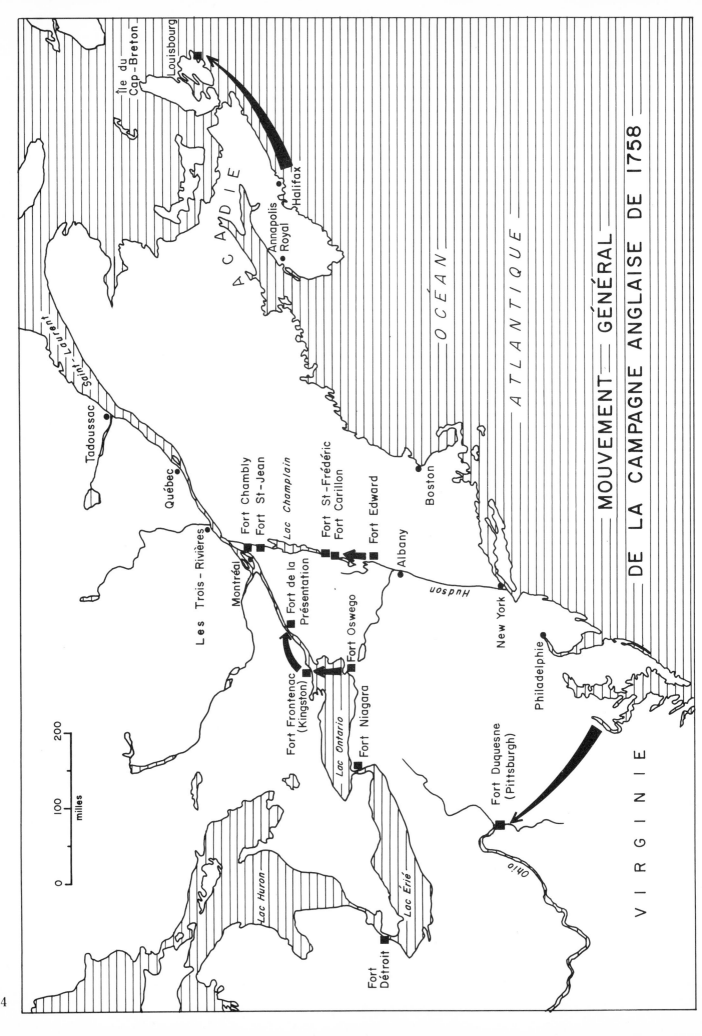

MOUVEMENT GÉNÉRAL

DE LA CAMPAGNE ANGLAISE DE 1758

Île du Cap-Breton

Louisbourg

Halifax

Annapolis Royal

ACADIE

Saint-Laurent

OCÉAN

ATLANTIQUE

Tadoussac

Québec

Les Trois-Rivières

Montréal

Fort Chambly
Fort St-Jean

Lac Champlain

Fort St-Frédéric
Fort Carillon

Fort Edward

Boston

Fort de la Présentation

Albany

Hudson

Fort Oswego

New York

Fort Frontenac
(Kingston)

Fort Niagara

Lac Ontario

Philadelphie

Fort Duquesne
(Pittsburgh)

VIRGINIE

Ohio

Lac Huron

Lac Érié

Fort Détroit

200

100

milles

0

62 — Mouvement général de la campagne anglaise de 1758

(carte tracée par Marcel Trudel)

Au cours de l'année 1758, les Anglais lancent leur offensive sur quatre objectifs à la fois : le Cap-Breton, le lac Champlain, le lac Ontario et l'Ohio.

A Carillon, sur le lac Champlain, les forces françaises résistent avec succès le 8 juillet, mais, le 26 du même mois, Louisbourg doit capituler ; le 27 août, le fort Frontenac qui garde l'entrée du lac Ontario, ainsi que le fort La Présentation, capitulent à leur tour. Enfin, le 24 novembre, les Anglais entrent dans le fort Duquesne qui jusque-là fermait l'entrée de la vallée de l'Ohio.

62—The General Orientation of the English Campaign of 1758

(map drawn by Marcel Trudel)

In the course of the year 1758, the English launched offensives against four different objectives at once: Cape Breton, Lake Champlain, Lake Ontario and the Ohio.

At Carillon on Lake Champlain, the French forces successfully resisted an attack on July 8, but on July 26 Louisbourg capitulated. On August 27, two more forts capitulated; Fort Frontenac, which guarded the entry to Lake Ontario, and Fort La Présentation. On November 24, the English took possession of Fort Duquesne, which had until then blocked the way to the Ohio Valley.

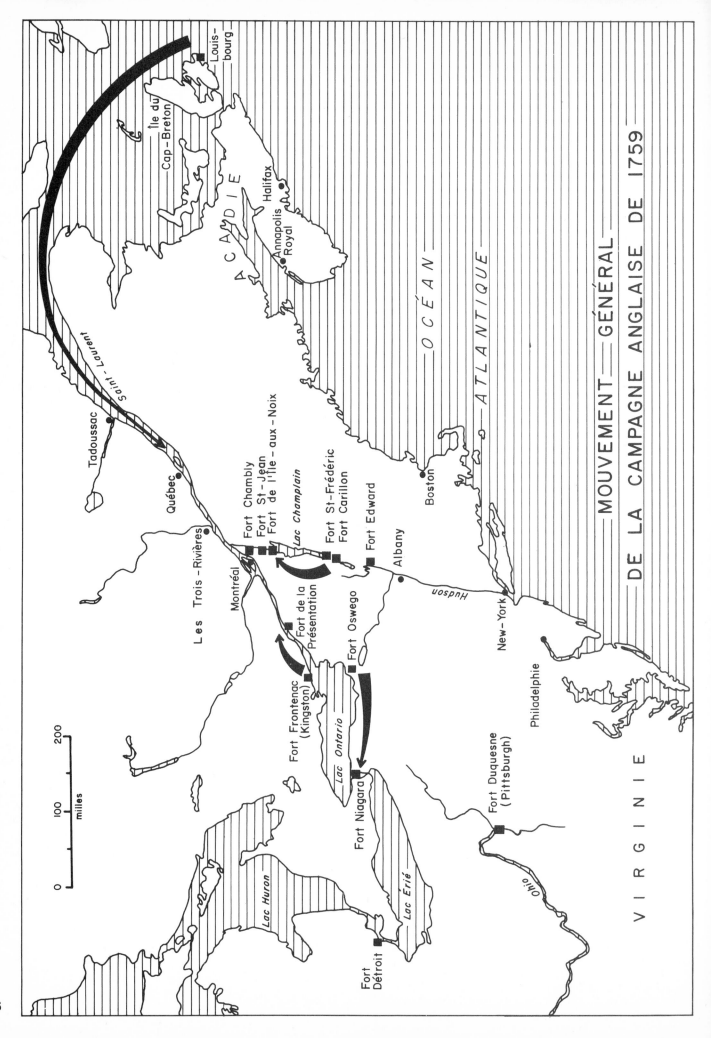

MOUVEMENT — GÉNÉRAL — DE LA CAMPAGNE ANGLAISE DE 1759

Louis-bourg

Île du Cap-Breton

Halifax

Annapolis Royal

A C A D I E

O C É A N

A T L A N T I Q U E

Saint-Laurent

Tadoussac

Québec

Les Trois-Rivières

Montréal

Fort Chambly
Fort St-Jean
Fort de l'Île-aux-Noix

Lac Champlain

Fort St-Frédéric
Fort Carillon

Fort Edward

Boston

Fort de la Présentation

Fort Oswego

Albany

Hudson

New-York

Fort Frontenac (Kingston)

Lac Ontario

Philadelphie

Fort Duquesne (Pittsburgh)

Fort Niagara

Lac Huron

Lac Érié

Ohio

Fort Détroit

V I R G I N I E

200

100

milles

0

146

63 — Mouvement général de la campagne anglaise de 1759

(carte tracée par Marcel Trudel)

De Louisbourg, l'Angleterre lance une flotte puissante à l'assaut de Québec; une armée se porte de nouveau contre les fortifications françaises du lac Champlain, cependant qu'une autre s'en va faire le siège du fort Niagara, la seule position solide que la France occupe encore sur les Grands Lacs.

La Nouvelle-France cède sur tous les points: le 25 juillet, les Anglais prennent Niagara; à la fin du mois, les Français évacuent le lac Champlain pour se retrancher à l'Île-aux-Noix; le 18 septembre, la ville-forteresse de Québec capitule.

63—The General Orientation of the English Campaign of 1759

(map drawn by Marcel Trudel)

From Louisbourg, England sent out a powerful fleet to attack Quebec. One army launched renewed attacks on the French forts on Lake Champlain while another laid siege to Fort Niagara, the sole remaining position of strength occupied by the French on the Great Lakes.

New France began to give way on all sides. On July 25, the English took Niagara. At the end of that month, the French evacuated Lake Champlain and retreated to Île-aux-Noix. The fortress and city of Quebec capitulated on September 18.

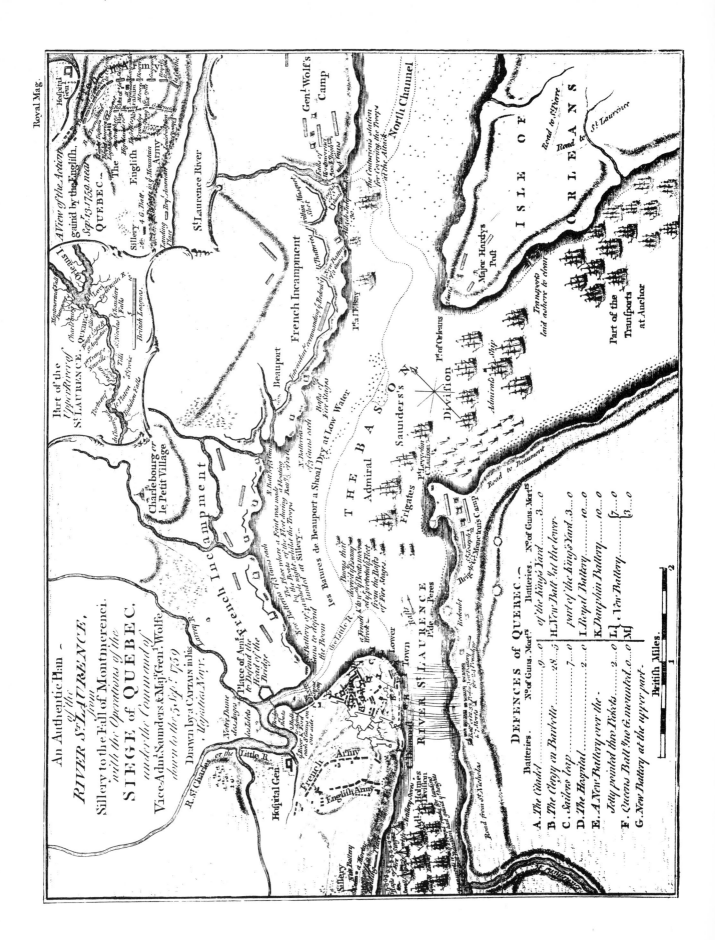

64 — Le siège de Québec en 1759

(carte anglaise de 1759 : Archives du Séminaire de Québec)

Occupant une position élevée sur le Cap-aux-Diamants et solidement protégée du côté de l'ouest par un système à la Vauban, Québec était la principale place forte de l'Amérique. Pour en venir à bout, les Anglais durent recourir aux travaux les plus divers d'un long siège : occupation de la Pointe-Lévy, de la pointe de l'île d'Oléans et du saut Montmorency, bombardement systématique de la ville, ascension-surprise des Hauteurs d'Abraham. Cette carte anglaise nous montre la nature complexe de l'opération.

64—The Siege of Quebec in 1759

(an English map of 1759; Archives of the Quebec Seminary)

With its commanding position on the heights of Cape Diamond and a Vauban fortification system providing strong protection on its western flank, Quebec was the most formidable stronghold in America. The English were finally able to achieve their goal only after bringing to bear the most varied techniques of siegecraft. This English map shows the complexity of the operation, whose principal features were the occupation of Pointe-Lévy, the tip of the Isle of Orleans and the lower side of Montmorency Falls, a systematic bombardment of the town, and finally the surprise scaling of the Heights of Abraham.

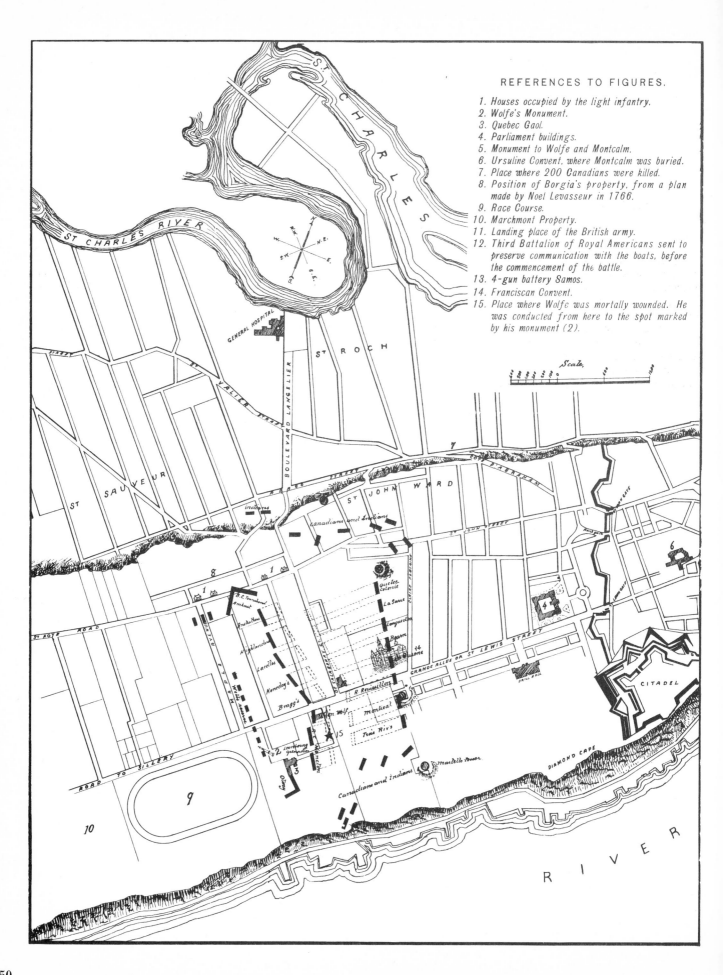

REFERENCES TO FIGURES.

1. Houses occupied by the light infantry.
2. Wolfe's Monument.
3. Quebec Gaol.
4. Parliament buildings.
5. Monument to Wolfe and Montcalm.
6. Ursuline Convent, where Montcalm was buried.
7. Place where 200 Canadians were killed.
8. Position of Borgia's property, from a plan made by Noel Levasseur in 1766.
9. Race Course.
10. Marchmont Property.
11. Landing place of the British army.
12. Third Battalion of Royal Americans sent to preserve communication with the boats, before the commencement of the battle.
13. 4-gun battery Samos.
14. Franciscan Convent.
15. Place where Wolfe was mortally wounded. He was conducted from here to the spot marked by his monument (2).

65 — La bataille des Hauteurs d'Abraham, 1759

(reconstitution par G. St-Michel : Archives du Séminaire de Québec)

Sur cette carte moderne, on a tenté de reconstituer les principaux mouvements de la bataille du 13 septembre 1759, sur le plateau du Cap-aux-Diamants, dit *Hauteurs d'Abraham*. A l'est, les remparts de Québec : on notera toutefois que le tracé de ces remparts est le tracé du XIXe siècle, et non pas exactement celui du XVIIIe.

65—The Battle of the Plains of Abraham, 1759

(reconstitution by G. St-Michel; Archives of the Quebec Seminary)

On this modern map, an attempt has been made to reconstruct the principal battle action of September 13, 1759 on the Cape Diamond plateau, known as the *Heights of Abraham*. To the east are the ramparts of Quebec; it will be noted, however, that these ramparts show the 19th-century trace, and not exactly that of the 18th century.

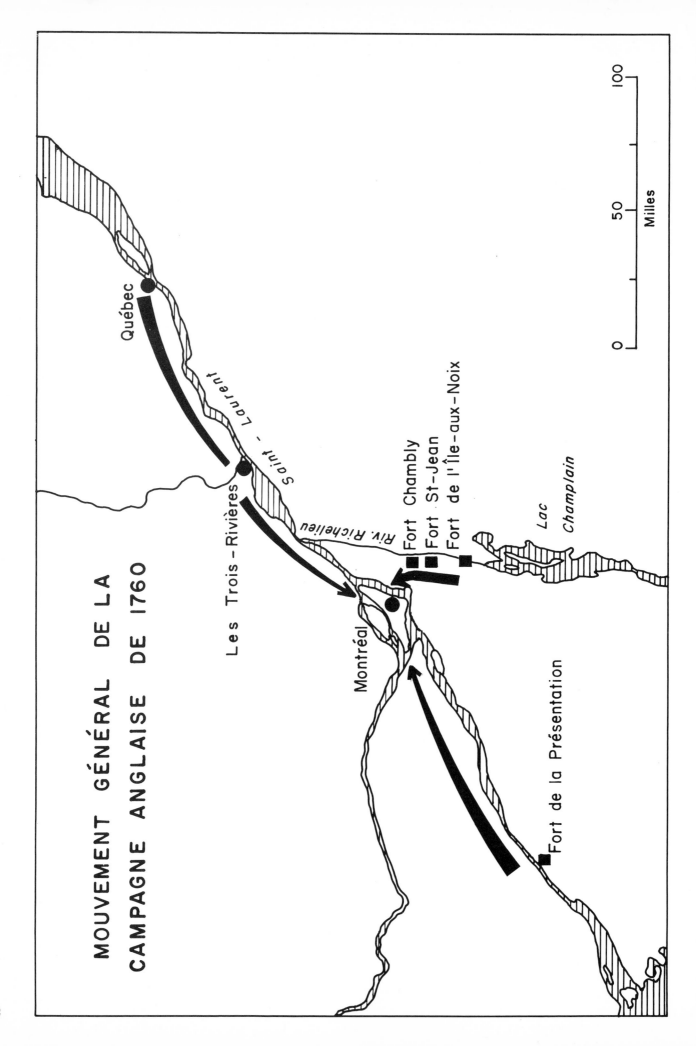

MOUVEMENT GÉNÉRAL DE LA
CAMPAGNE ANGLAISE DE 1760

Québec

Les Trois – Rivières

Saint – Laurent

Montréal

Riv. Richelieu

Fort Chambly
Fort St-Jean
Fort de l'Île-aux-Noix

Lac Champlain

Fort de la Présentation

0   50   100

Milles

152

66 — Mouvement général de la campagne anglaise de 1760

(carte tracée par Marcel Trudel)

Coupée des Grands Lacs, à l'ouest, et, à l'est, de sa sortie sur le golfe, la Nouvelle-France est assiégée de trois côtés à la fois : toutes les forces anglaises convergent sur Montréal. La flotte anglaise remonte le fleuve sans rencontrer de résistance sérieuse ; les forts du Richelieu sont rapidement éliminés ; d'autres troupes descendent le haut Saint-Laurent. Au début de septembre, Montréal est encerclé : le 8, la Nouvelle-France capitule.

66—The General Orientation of the English Campaign of 1760

(map drawn by Marcel Trudel)

Cut off from the Great Lakes in the west and from access to the Gulf in the east, New France was now besieged on three sides at once; all the English forces now converged upon Montreal. The English fleet sailed up the river without meeting any serious resistance, the Richelieu forts were quickly overcome, and other troops approached from the upper St. Lawrence. By the beginning of September, Montreal was encircled; on September 8, New France capitulated.

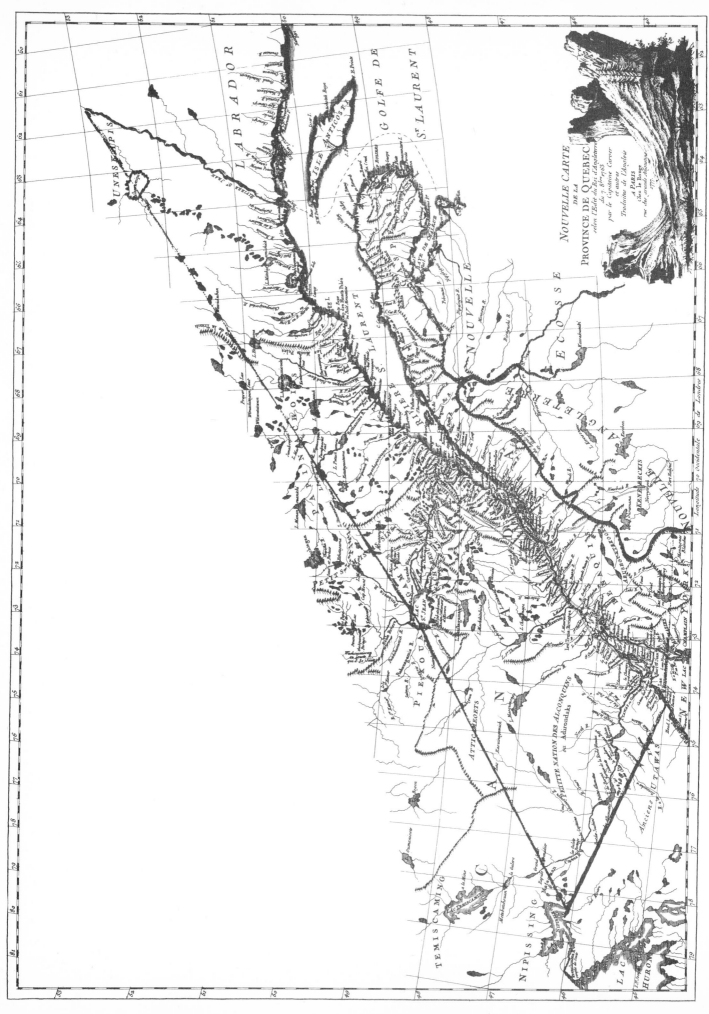

154

67 — Le démembrement de la Nouvelle-France, 1763

(carte de Carver en 1763, éditée en français par Le Rouge en 1777 : Archives du Séminaire de Québec. A cette carte nous avons ajouté un pointillé pour marquer une partie de la frontière orientale de la Province de Québec)

En 1762, la France cède une première partie de la Louisiane à l'Espagne (la rive droite du Mississipi) ; en 1763, elle renonce à l'autre partie en faveur de l'Angleterre ; les Grands Lacs deviennent un territoire réservé aux Sauvages, sous un gouvernement spécial ; à la Nouvelle-Écosse on rattache le reste de l'Acadie ; Terre-Neuve acquiert le Labrador et l'île Anticosti. Le Canada lui-même disparaît comme entité géographique : le pays où l'on enferme les Canadiens s'appelle désormais *Province de Québec*. Il n'y a plus de Nouvelle-France.

67—The Breaking up of New France, 1763

(map of 1763 by Carver, published in French by Le Rouge in 1777; Archives of the Quebec Seminary. On this map we have added a dotted line to indicate part of the eastern limit of the Province of Quebec.)

In 1762, France ceded the part of Louisiana west of the Mississippi to Spain, and in 1763 she renounced her claim to the rest of it in favour of England. The Great Lakes became an Indian territory under special administration, what was left of Acadia became attached to Nova Scotia, and Newfoundland acquired Labrador and Anticosti Island. Canada itself as a geographic entity disappeared; the territory in which its people were to be confined was henceforth called the *Province of Quebec*. New France was no more.

CINQUIÈME PARTIE

Le peuplement de la Nouvelle-France laurentienne

PART FIVE

The Settlement of New France of the St. Lawrence

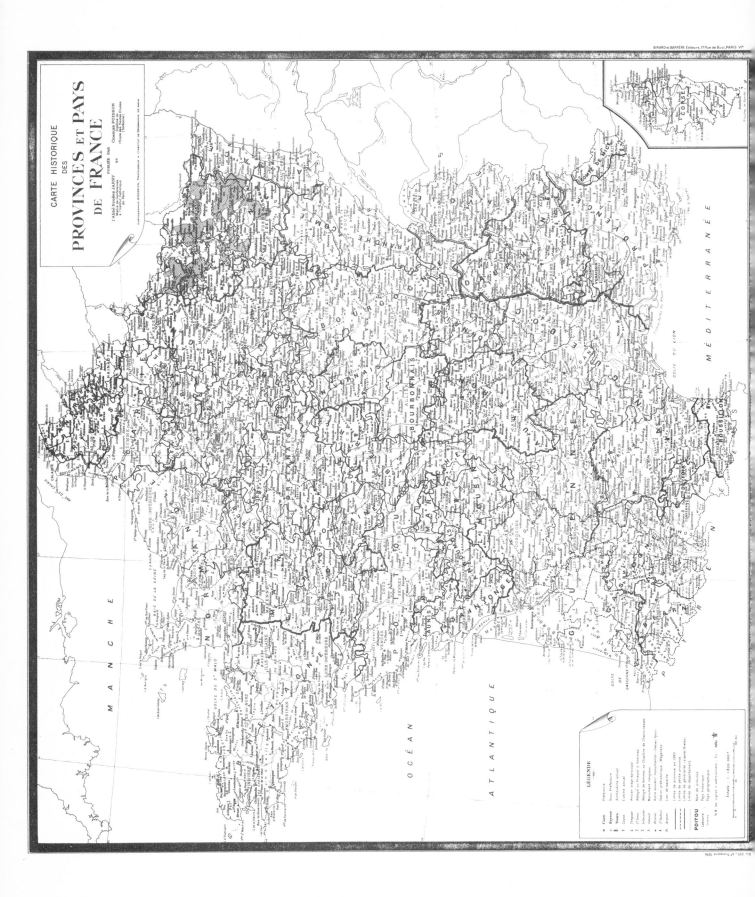

CARTE HISTORIQUE DES

PROVINCES ET PAYS DE FRANCE

PUBLIÉE PAR

l'Abbé Eusèbe JARRY

ET CHARLES POISSON

158

68 — Les provinces de France

(carte de Jarry et Poisson : Girard et Barrère, éditeurs, Paris)

Avec l'Île-de-France et Paris, ce sont les provinces de l'Ouest (Normandie, Bretagne, Poitou, Aunis et Saintonge) qui ont fourni le plus grand nombre d'émigrants à la Nouvelle-France. Au XVIIIe siècle, c'est le port de La Rochelle (en Aunis) qui sert surtout de port d'embarquement.

68—The Provinces of France

(map by Jarry and Poisson ; Girard et Barrère, ed., Paris)

Besides Île-de-France and Paris, it was the western provinces, Normandy, Brittany, Poitou, Aunis and Saintonge, that provided the greatest number of emigrants to New France. In the 18th century the port of La Rochelle (in Aunis) was the principal point of embarcation.

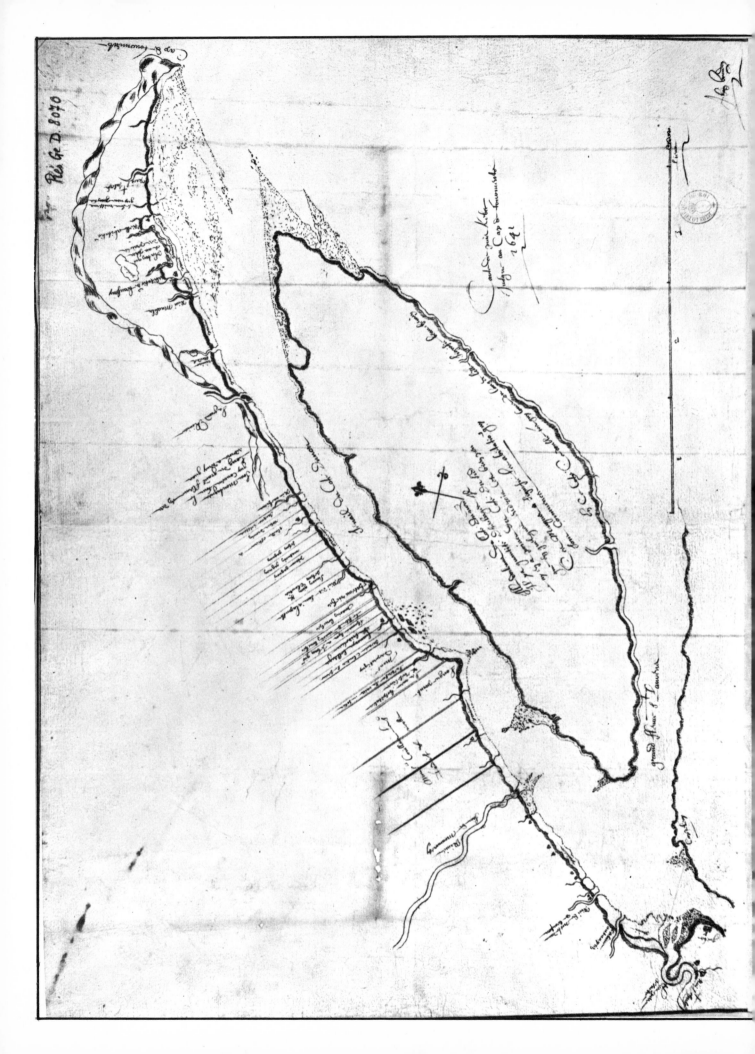

69 — Le peuplement seigneurial en 1641

(carte de Jean Bourdon : Bibliothèque nationale de France)

C'est dans les environs de Québec que débute, dès la première moitié du XVIIe siècle, le peuplement seigneurial : Notre-Dame-des-Anges, Beauport et la côte de Beaupré deviennent alors les premiers centres de la vie seigneuriale. Au moment où cette carte est dressée, l'île d'Orléans n'est pas encore peuplée.

Bourdon ne donne ici que les noms des habitants de la côte de Beaupré.

69—Seigniorial Settlement in 1641

(map by Jean Bourdon; Bibliothèque nationale de France)

Seigniorial settlement began in the vicinity of Quebec in the first half of the 17th century. Notre-Dame-des-Anges, Beauport and Beaupré thus became the first centres of seigniorial life. When this map was drawn, the Isle of Orleans had not yet been settled.

On this map, Bourdon gives only the names of the *habitants* of Beaupré.

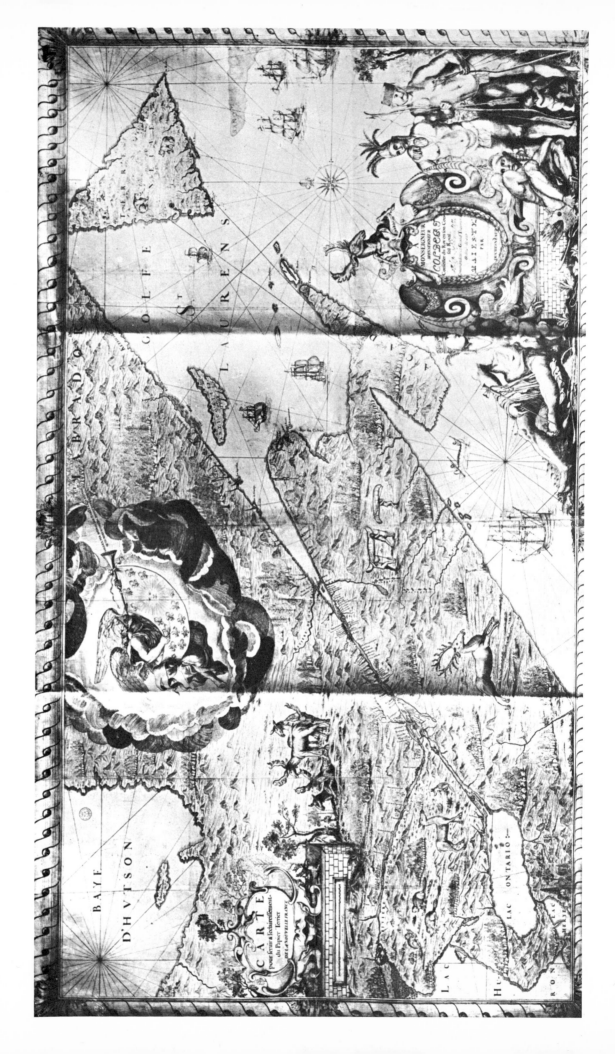

70 — Le nordet et l'orientation des seigneuries

(carte de Franquelin, 1678 : Bibliothèque nationale de France)

Dès les débuts, parce qu'il est l'unique voie de communication, le fleuve sert de front aux seigneuries : comme le Saint-Laurent coule dans la direction sud-ouest nord-est, la façade des seigneuries aura cette même direction sud-ouest nord-est et les frontières latérales pénétreront à l'intérieur des terres dans une direction nord-ouest sud-est. Destinée à illustrer le papier terrier, cette carte stylisée fait ressortir l'orientation générale de la géographie seigneuriale.

70—The St. Lawrence and the Lay of the Seigniories

(map by Franquelin, 1678; Bibliothèque nationale de France)

In the earliest days, the seigniories fronted on the river because it provided the sole means of communication. Since the St. Lawrence flows from south-west to north-east, this was the lay of the seigniories' frontage, their lateral boundaries extending inland in a north-westerly or south-easterly direction. This stylized map, drawn to illustrate the *papier terrier* or land register, clearly shows the general geographic aspect of the seigniories.

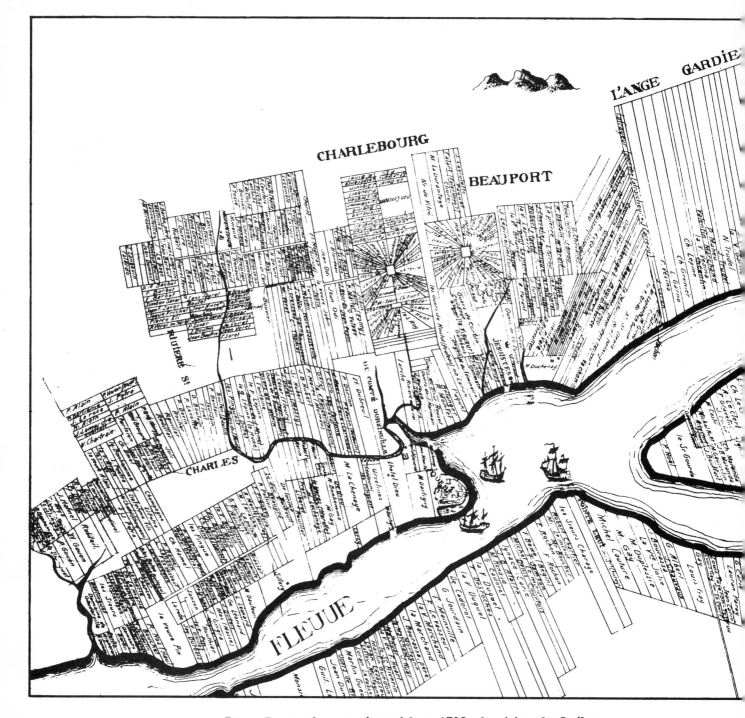

71 — Le peuplement seigneurial en 1709 : la région de Québec

(extrait d'une carte préparée en 1709 par Gédéon de Catalogne et Jean-Baptiste Decoüagne : Ministère des Terres et Forêts de la Province de Québec)

Découpées d'ordinaire selon l'orientation nord-ouest sud-est, les seigneuries se subdivisent en minces rectangles parallèles, les terres du premier rang donnant sur le fleuve. C'est un paysage qu'on retrouve encore aujourd'hui.

Cette carte montre bien l'application générale du système en même temps que les nombreuses exceptions.

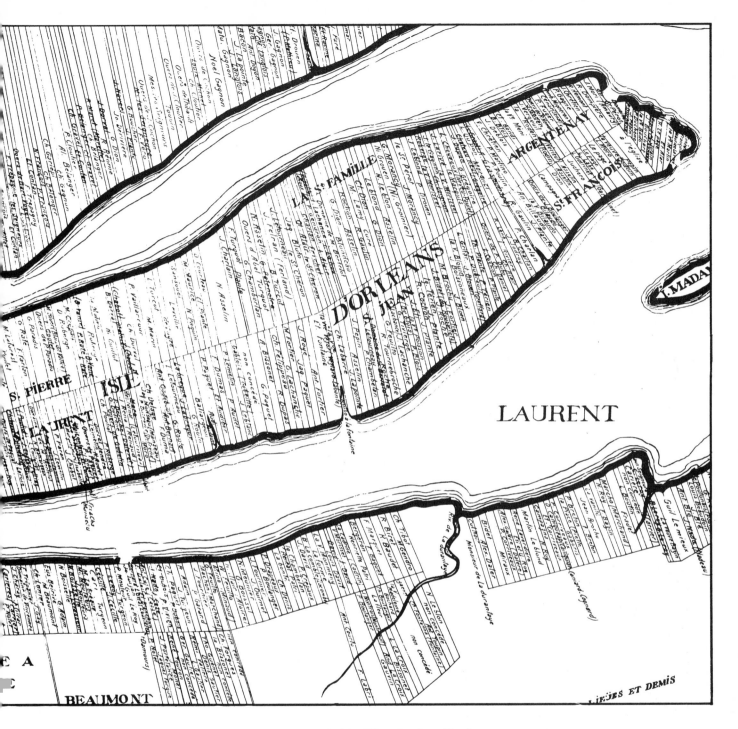

71—Seigniorial Settlement in 1709: The Quebec Region

(part of a map prepared in 1709 by Gédéon de Catalogne and Jean-Baptiste Decoüagne; Department of Lands and Forests of the Province of Quebec)

The seigniories were normally subdivided into narrow, parallel rectangles divided by lines running north-west and south-east; each of the farms of the first range had its own river frontage. This is the land distribution which still prevails today.

This map clearly shows the general effect of the system, together with the not infrequent exceptions.

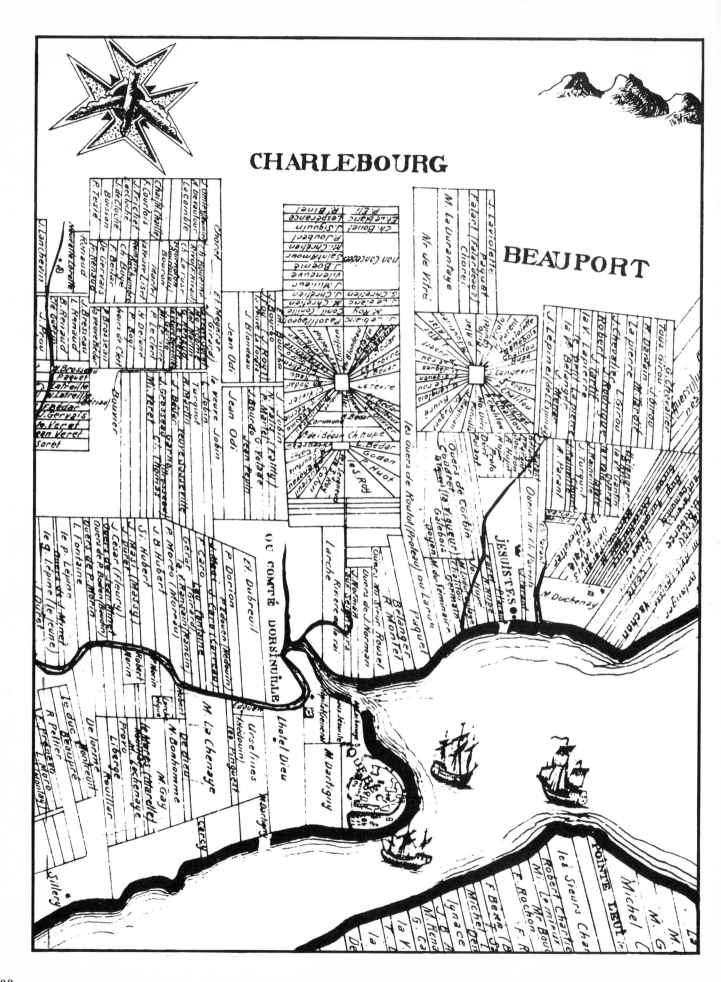

CHARLEBOURG

BEAUPORT

72 — Le peuplement seigneurial en 1709 : les villages en étoile

(extrait de la carte plus haut citée)

L'intendant Talon conçut le projet de grouper les habitants dans un village en forme d'étoile, pour mieux les protéger : au lieu de rectangles parallèles, on a des terres de forme triangulaire, la maison de l'habitant étant située à la pointe du triangle. Il n'y eut, toutefois, que trois de ces villages, et dans la seule région de Québec.

72—Seigniorial Settlement in 1709: Star-shaped Villages

(part of the map cited above)

The Intendant Talon conceived a project whereby the *habitants* would be grouped in star-shaped villages, thus affording greater protection to all. The farms, instead of being rectangular and parallel to each other, were triangular, with each homestead situated at the inner point of the triangle. There were only three of these villages, however, all in the vicinity of Quebec.

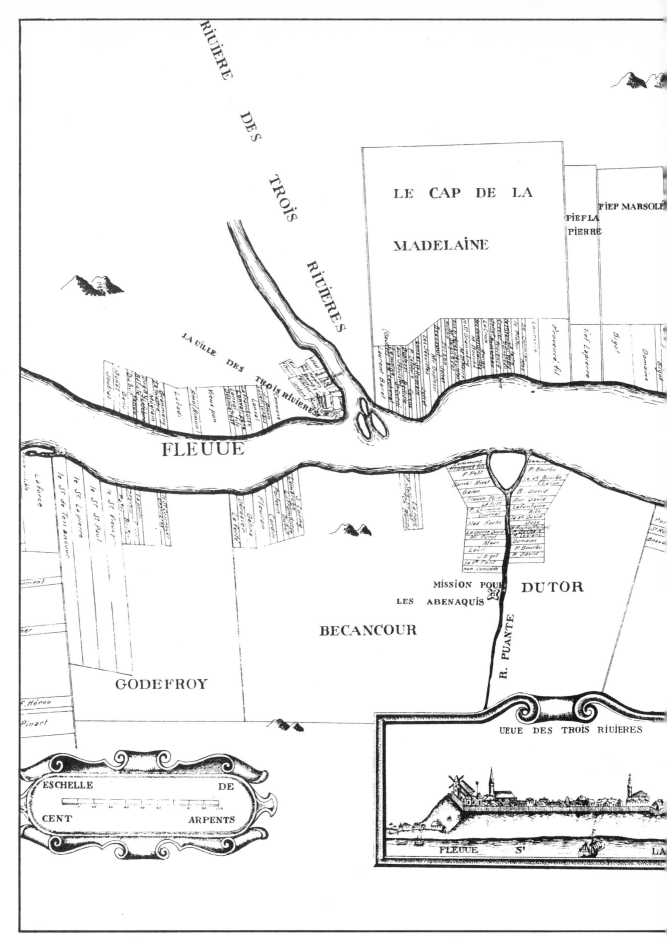

73 — Le peuplement seigneurial en 1709 : la région des Trois-Rivières (extrait de la carte plus haut citée

Bien qu'ont ait commencé dès le premier tiers du XVIIe siècle à concéder des terres le long du Saint-Lau
le peuplement ici, à mi-chemin entre Québec et Montréal, a été fort lent. Sauf aux environs immédiats des T
Rivières, le long de la Batiscan et de la Sainte-Anne, le peuplement seigneurial est à peine entrepris.

Noter une vue cavalière de la ville qu'entoure une palissade de bois.

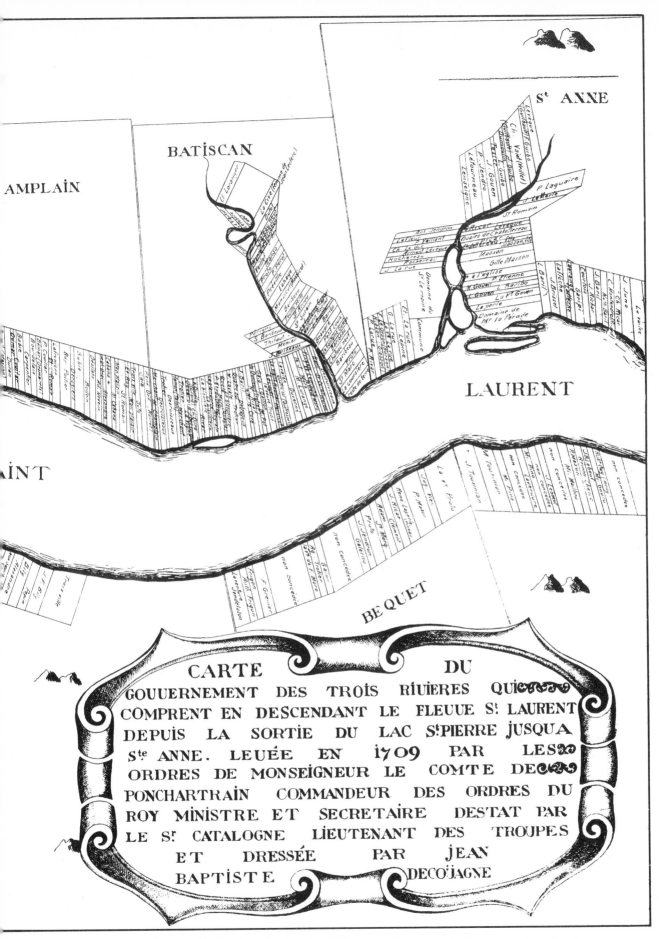

73—Seigniorial Settlement in 1709: The Trois-Rivières Region (part of the map cited above)

Although land concession along the St. Lawrence had started in the first third of the 17th century, here, way between Quebec and Montreal, settlement had been very slow indeed; except in the immediate vicinity of is-Rivières and along the Batiscan and Ste. Anne Rivers, seigniorial settlement had barely begun at this date. Note the crudely-drawn view of the wood-palisaded town.

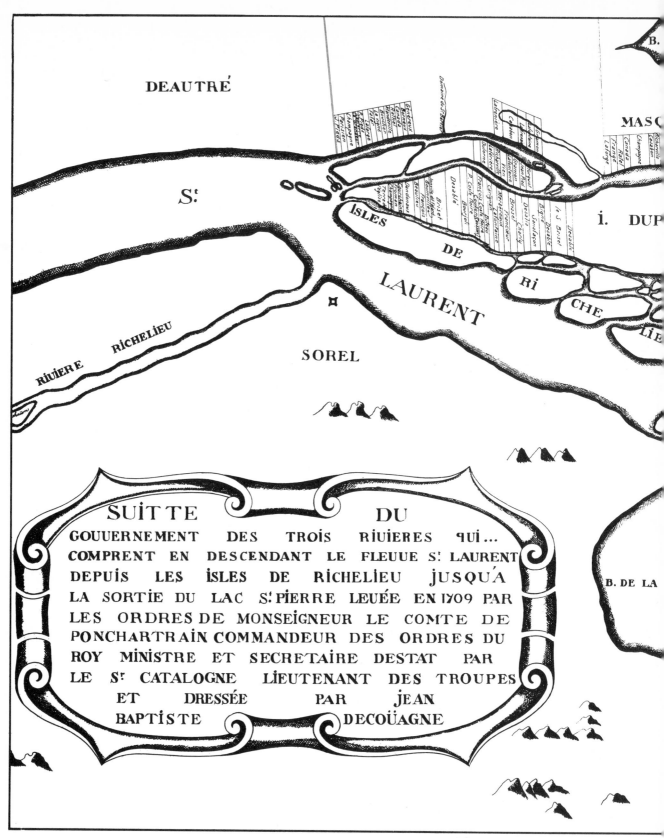

74 — Le peuplement seigneurial en 1709 : la région du lac Saint-Pierre (extrait de la carte plus haut citée)

Les terres concédées paraissent encore plus rares ici que dans la région précédente (on ne donne rien, exemple, pour la région de Sorel) : c'est peut-être que les auteurs de la carte n'ont pas eu le temps de termi leur travail. En tout cas, dans cette série de 1709, il nous manque la section de Montréal.

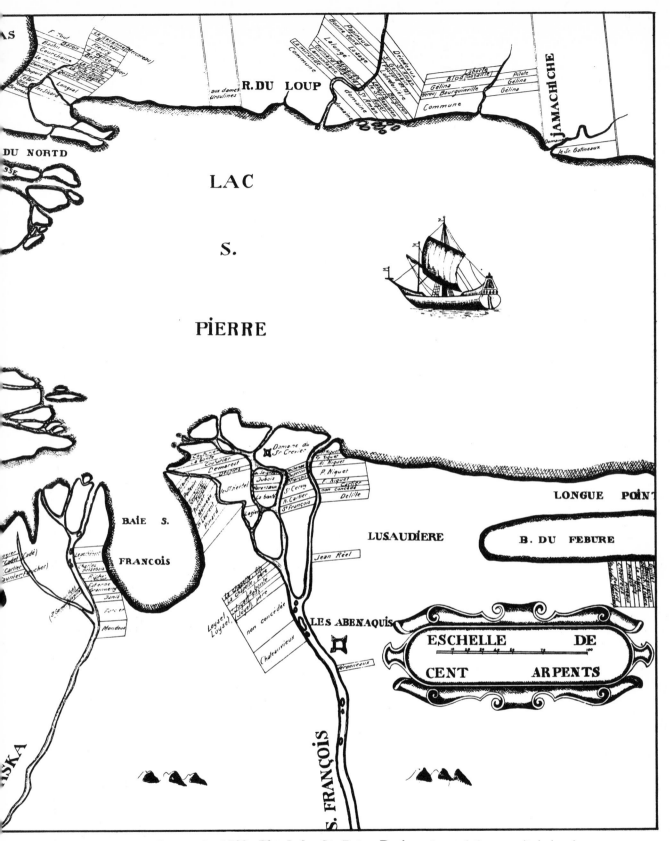

74—Seigniorial Settlement in 1709: The Lake St. Peter Region (part of the map cited above)

Land concessions appear even more sparse in this region than in the preceding one; none whatever are shown the Sorel area, for instance. It could be that the authors of this map did not have time to finish their work; any case, the Montreal section of this 1709 series is missing completely.

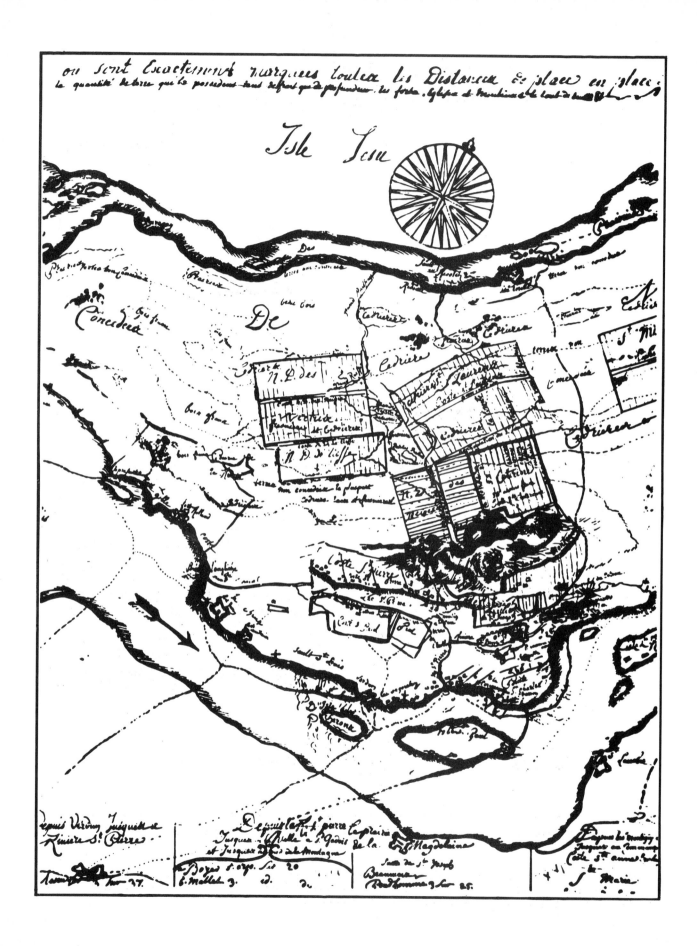

75 — Les terres de l'île de Montréal, en 1702

(extrait d'un terrier de 1702 : Séminaire de Saint-Sulpice de Paris)

Ce terrier de 1702 est le seul document cartographique à montrer l'état du peuplement seigneurial de Montréal, au début du XVIIIe siècle : il énumère les habitants et donne l'étendue des concessions ; les églises, forts et moulins sont aussi indiqués. Montréal n'est toujours qu'une toute petite ville entourée de pieux et située immédiatement sur la rive.

75—The Island of Montreal and its Land Grants in 1702

(part of a *terrier* of 1702; Séminaire de Saint-Sulpice de Paris)

This *terrier* or land register of 1702 is the only authentic map to show the state of seigniorial settlement on the Island of Montreal at the beginning of the 18th century. It lists the *habitants* and shows the extent of their land concessions. Churches, forts and mills are also indicated. At this date, Montreal was still only a very small palisaded town by the river.

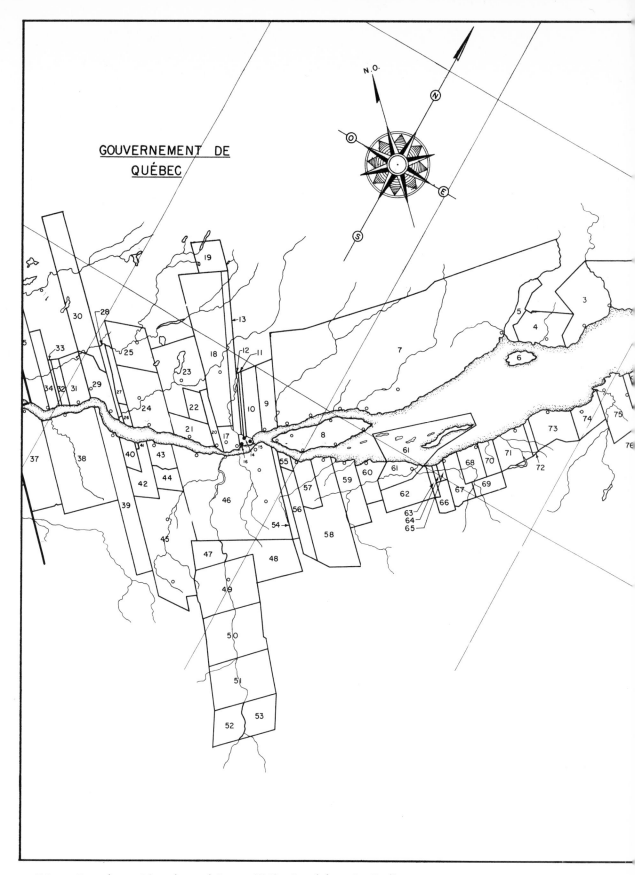

76 — La géographie seigneuriale en 1760 : la région de Québec (établie par Marcel Trudel)

Nous avons tenté de reporter ici sur une carte moderne la géographie seigneuriale de 1760, en procédant par Gouvernements. Dans cette première carte, nous avons laissé de côté la Gaspésie, nulle au point de vue seigneurial. Les dates sont celles de la concession de la seigneurie : le peuplement commence habituellement plus tard.

De Mitis à Deschaillons et des Grondines aux Éboulements, les deux rives sont concédées en seigneuries. La Malbaie avait été concédée en 1653 puis réunie au Domaine : elle réapparaît dans la géographie seigneuriale en 1762, lorsque le gouverneur Murray la reconcède en deux parties. Les autres concessions sont antérieures à 1760.

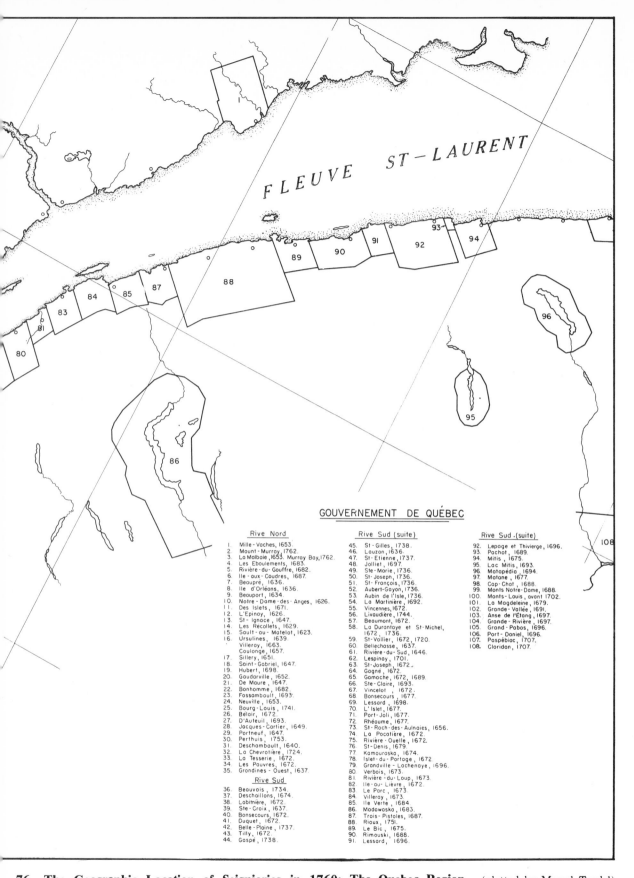

FLEUVE ST-LAURENT

GOUVERNEMENT DE QUÉBEC

Rive Nord

1. Mille - Vaches, 1653.
2. Mount - Murray, 1762.
3. La Malbaie, 1653. Murray Bay, 1762.
4. Les Eboulements, 1683.
5. Rivière - du - Gouffre, 1682.
6. Ile - aux - Coudres, 1687.
7. Beaupré, 1636.
8. Ile d'Orléans, 1636.
9. Beauport, 1634.
10. Notre - Dame - des - Anges, 1626.
11. Des Islets, 1671.
12. L'Epinay, 1626.
13. St - Ignace, 1647.
14. Les Récollets, 1629.
15. Sault - au - Matelot, 1623.
16. Ursulines, 1639.
    Villeray, 1663.
    Coulonge, 1657.
17. Sillery, 1651.
18. Saint - Gabriel, 1647.
19. Hubert, 1698.
20. Gaudarville, 1652.
21. De Maure, 1647.
22. Bonhomme, 1682.
23. Fossambault, 1693.
24. Neuville, 1653.
25. Bourg - Louis, 1741.
26. Bélair, 1672.
27. D'Auteuil, 1693.
28. Jacques - Cartier, 1649.
29. Portneuf, 1647.
30. Perthuis, 1753.
31. Deschambault, 1640.
32. La Chevrotière, 1724.
33. La Tesserie, 1672.
34. Les Pauvres, 1672.
35. Grondines - Ouest, 1637.

Rive Sud

36. Beauvais, 1734.
37. Deschaillons, 1674.
38. Lotbinière, 1672.
39. Ste - Croix, 1637.
40. Bonsecours, 1672.
41. Duquet, 1672.
42. Belle - Plaine, 1737.
43. Tilly, 1672.
44. Gaspé, 1738.

Rive Sud (suite)

45. St - Gilles, 1738.
46. Louzon, 1636.
47. St - Etienne, 1737.
48. Jolliet, 1697.
49. Ste - Marie, 1736.
50. St - Joseph, 1736.
51. St - François, 1736.
52. Aubert - Gayon, 1736.
53. Aubin de l'Isle, 1736.
54. La Martinière, 1692.
55. Vincennes, 1672.
56. Livaudière, 1744.
57. Beaumont, 1672.
58. La Durantaye et St - Michel, 1672, 1736.
59. St - Vallier, 1672, 1720.
60. Bellechasse, 1637.
61. Rivière - du - Sud, 1646.
62. Lespinay, 1701.
63. St - Joseph, 1672.
64. Gagné, 1672.
65. Gamache, 1672, 1689.
66. Ste - Claire, 1693.
67. Vincelot, 1672.
68. Bonsecours, 1677.
69. Lessard, 1698.
70. L'Islet, 1677.
71. Port - Joli, 1677.
72. Rhéaume, 1677.
73. St - Roch - des - Aulnaies, 1656.
74. La Pocatière, 1672.
75. Rivière - Ouelle, 1672.
76. St - Denis, 1679.
77. Kamouraska, 1674.
78. Islet - du - Portage, 1672
79. Grandville - Lachenaye, 1696.
80. Verbois, 1673.
81. Rivière - du - Loup, 1673.
82. Ile - au - Lievre, 1672.
83. Le Parc, 1673.
84. Villeray, 1673.
85. Ile Verte, 1684.
86. Madawaska, 1683.
87. Trois - Pistoles, 1687.
88. Rioux, 1751.
89. Le Bic, 1675.
90. Rimouski, 1688.
91. Lessard, 1696.

Rive Sud (suite)

92. Lepage et Thivierge, 1696.
93. Pachot, 1689.
94. Mitis, 1675.
95. Lac Mitis, 1693.
96. Matapédia, 1694.
97. Matane, 1677.
98. Cap - Chat, 1688.
99. Monts Notre - Dame, 1688.
100. Monts - Louis, avant 1702.
101. La Magdeleine, 1679.
102. Grande - Vallée, 1691.
103. Anse de l'Étang, 1697.
104. Grande - Rivière, 1697.
105. Grand - Pabos, 1696.
106. Port - Daniel, 1696.
107. Paspébiac, 1707.
108. Cloridan, 1707.

76—The Geographic Location of Seigniories in 1760: The Quebec Region (plotted by Marcel Trudel)

Here and on the two following maps, we have attempted to locate the various seigniories on a modern map, as they were in 1760, by *Gouvernements* or administrative districts. We have not included the Gaspé in this first map, since there were no seigniories there. The dates are those of the seigniorial grants. Settlement normally began later.

From Mitis to Deschaillons and from Les Grondines to Les Éboulements, both shores of the river had been granted in seigniorial tenure by this date. La Malbaie (Murray Bay) had been granted in 1653 and subsequently united to the royal domain. It reappeared on the seigniorial map in 1762, when Governor Murray granted it anew in two parts. All other grants were made before 1760.

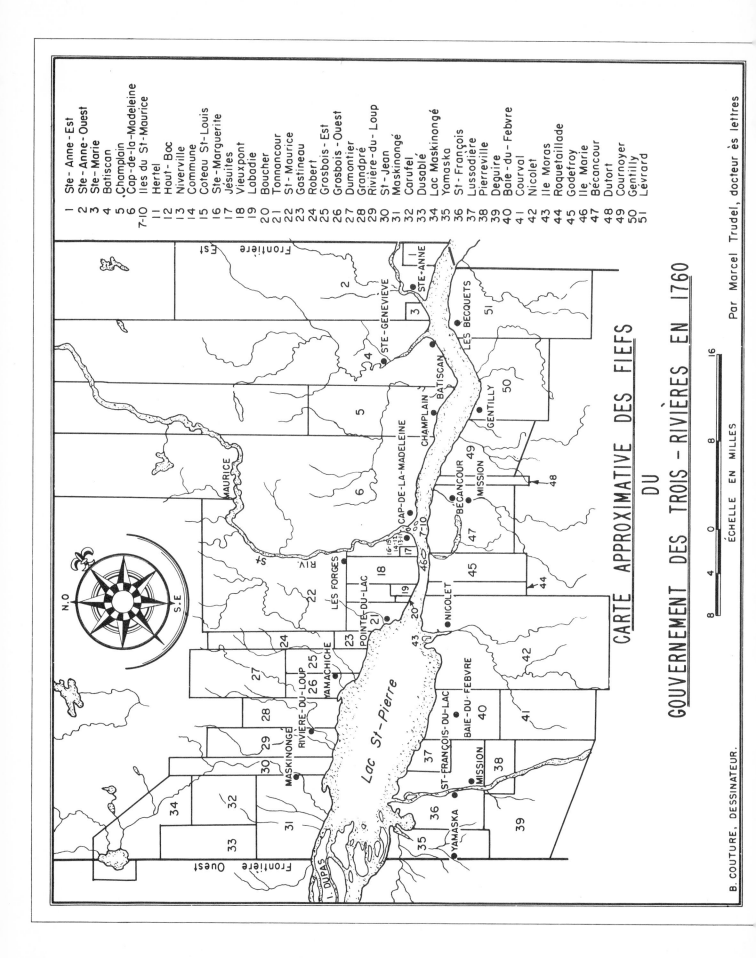

1 Ste-Anne-Est
2 Ste-Anne-Ouest
3 Ste-Marie
4 Batiscan
5 Champlain
6 Cap-de-la-Madeleine
7-10 Iles du St-Maurice
11 Hertel
12 Haut-Boc
13 Niverville
14 Commune
15 Coteau St-Louis
16 Ste-Marguerite
17 Jésuites
18 Vieuxpont
19 Labadie
20 Boucher
21 Tonnancour
22 St-Maurice
23 Gastineau
24 Robert
25 Grosbois-Est
26 Grosbois-Ouest
27 Dumontier
28 Grandpré
29 Rivière-du-Loup
30 St-Jean
31 Maskinongé
32 Carufel
33 Dusablé
34 Lac Maskinongé
35 Yamaska
36 St-François
37 Lussodière
38 Pierreville
39 Deguire
40 Baie-du-Febvre
41 Courval
42 Nicolet
43 Ile Moras
44 Roquetaillade
45 Godefroy
46 Ile Marie
47 Bécancour
48 Dutort
49 Cournoyer
50 Gentilly
51 Lévrard

CARTE APPROXIMATIVE DES FIEFS
DU
GOUVERNEMENT DES TROIS-RIVIÈRES EN 1760

ÉCHELLE EN MILLES

Par Marcel Trudel, docteur ès lettres

B. COUTURE, DESSINATEUR.

176

77 — La géographie seigneuriale en 1760 : la région des Trois-Rivières

(établie par Marcel Trudel)

De Sainte-Anne-de-la-Pérade à Maskinongé et d'Yamaska à Saint-Pierre-les-Becquets, les deux rives sont couvertes de seigneuries. Deux d'entre elles pénètrent très avant dans les terres : Batiscan et Cap-de-la-Madeleine, profondes de vingt lieues ; ce sont les deux plus profondes de tout le pays.

L'orientation générale des seigneuries est la même : nord-ouest sud-est.

77—The Geographic Location of Seigniories in 1760: The Trois-Rivières Region

(plotted by Marcel Trudel)

From Sainte-Anne-de-la-Pérade to Maskinongé and from Yamaska to Saint-Pierre-les-Becquets, both shores were lined with seigniories. Two of them, Batiscan and Cap-de-la-Madeleine, each twenty leagues deep, extended far inland; they were the two with the greatest extent in depth in the whole country.

Here, too, the general lay of the seigniories is seen to be north-west and south-east.

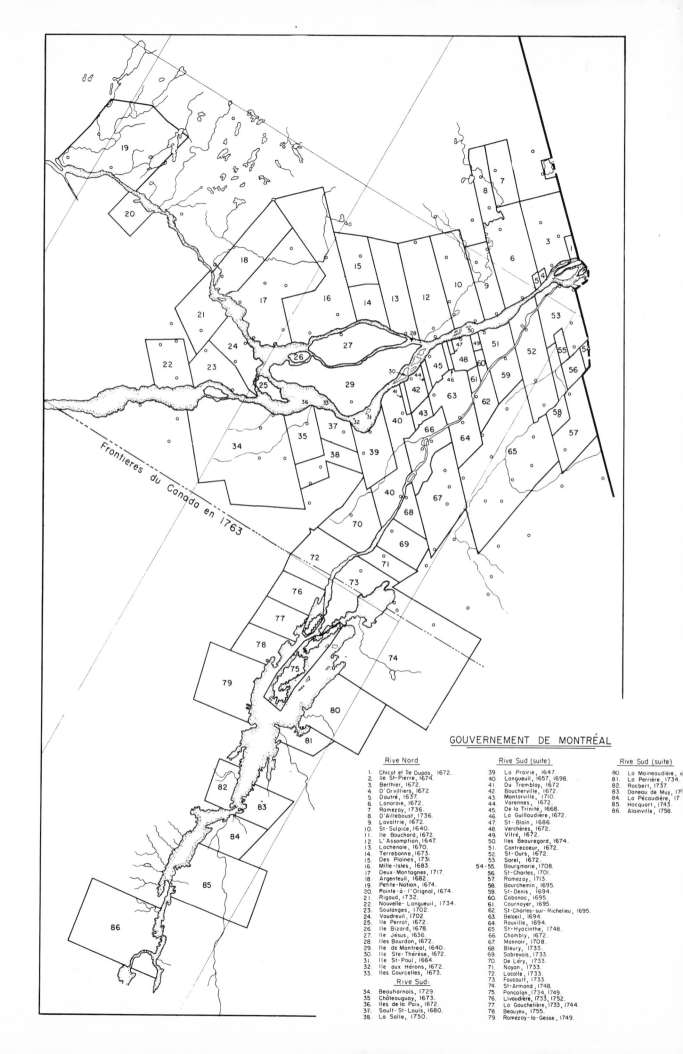

GOUVERNEMENT DE MONTRÉAL

Rive Nord

1. Chicot et île Dupas, 1672.
2. Ile St-Pierre, 1674.
3. Berthier, 1672.
4. D'Orvilliers, 1672.
5. Dautré, 1637.
6. Lanoraie, 1672.
7. Ramezay, 1736.
8. D'Ailleboust, 1736.
9. Lavaltrie, 1672.
10. St-Sulpice, 1640.
11. Ile Bouchard, 1672.
12. L'Assomption, 1647.
13. Lachenaie, 1670.
14. Terrebonne, 1673.
15. Des Plaines, 1731.
16. Mille-Isles, 1683.
17. Deux-Montagnes, 1717.
18. Argenteuil, 1682.
19. Petite-Nation, 1674.
20. Pointe-à-l'Orignal, 1674.
21. Rigaud, 1732.
22. Nouvelle-Longueuil, 1734.
23. Soulanges, 1702.
24. Voudreuil, 1702.
25. Ile Perrot, 1672.
26. Ile Bizard, 1678.
27. Ile Jésus, 1636.
28. Iles Bourdon, 1672.
29. Ile de Montréal, 1640.
30. Ile Ste-Thérèse, 1672.
31. Ile St-Paul, 1664.
32. Ile aux Hérons, 1672.
33. Iles Courcelles, 1673.

Rive Sud:

34. Beauharnois, 1729.
35. Châteauguay, 1673.
36. Iles de la Paix, 1672.
37. Sault-St-Louis, 1680.
38. La Salle, 1750.

Rive Sud (suite)

39. La Prairie, 1647.
40. Longueuil, 1657, 1698.
41. Du Tremblay, 1672.
42. Boucherville, 1672.
43. Montarville, 1710.
44. Varennes, 1672.
45. De la Trinité, 1668.
46. La Guillaudière, 1672.
47. St-Blain, 1686.
48. Verchères, 1672.
49. Vitré, 1672.
50. Iles Beauregard, 1674.
51. Contrecoeur, 1672.
52. St-Ours, 1672.
53. Sorel, 1672.
54-55. Bourgmarie, 1708.
56. St-Charles, 1701.
57. Ramezay, 1713.
58. Bourchemin, 1695.
59. St-Denis, 1694.
60. Cabanac, 1695.
61. Cournoyer, 1695.
62. St-Charles-sur-Richelieu, 1695.
63. Beloeil, 1694.
64. Rouville, 1694.
65. St-Hyacinthe, 1748.
66. Chambly, 1672.
67. Monnoir, 1708.
68. Bleury, 1733.
69. Sabrevois, 1733.
70. De Léry, 1733.
71. Noyan, 1733.
72. Lacolle, 1733.
73. Foucault, 1733.
74. St-Armand, 1748.
75. Pancalon, 1734, 1749.
76. Livaudière, 1733, 1752.
77. La Gauchetière, 1733, 1744.
78. Beaujeu, 1755.
79. Ramezay-la-Gesse, 1749.

Rive Sud (suite)

80. La Moineaudière, «
81. La Perrière, 1734.
82. Rocbert, 1737.
83. Doneau de Muy, 17
84. La Pécaudière, 17
85. Hocquart, 1743.
86. Alainville, 1758.

78 — La géographie seigneuriale en 1760 : la région de Montréal

(établie par Marcel Trudel)

La présence de grandes îles et d'affluents importants modifie considérablement l'orientation générale du paysage seigneurial.

Les concessions seigneuriales sur la rivière des Outaouais sont rares, et le peuplement y est nul, parce que l'État s'y oppose : il vaut mieux pour la traite que cette grande voie demeure déserte.

Des domaines du lac Champlain ont été concédés en seigneuries : sans aucun peuplement sous le régime français, puis laissée en dehors des limites de la province de Québec en 1763 au profit du New-York, cette région a été perdue malgré les revendications de certains seigneurs.

78—The Geographic Location of Seigniories in 1760: The Montreal Region

(plotted by Marcel Trudel)

The presence of large islands and important tributaries has considerably modified the general aspect and lay of seigniories in this region.

Seigniorial grants on the Ottawa River were few, and settlement there was nil, because the State was opposed to it; the fur trade would be better served if that great watercourse were to remain deserted.

Seigniories had been granted on Lake Champlain, but they had remained unsettled under the French régime, and then, despite the protests of a number of seigniors, the region was lost to New York since it was outside the limits established in 1763 for the Province of Quebec.

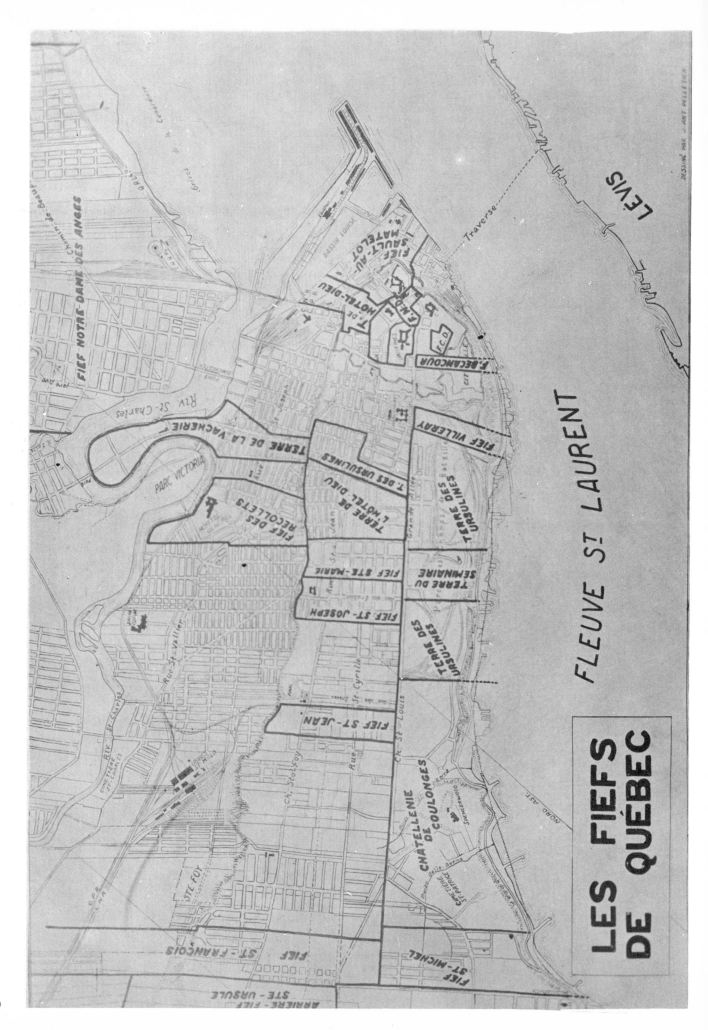

LES FIEFS
DE QUÉBEC

FLEUVE St LAURENT

LÉVIS

79 — La géographie seigneuriale en 1760 : les fiefs et censives de Québec

(carte établie par J.-Ant. Pelletier: Archives de la province de Québec)

La ville de Montréal ne fut pas subdivisée en seigneuries, l'île de Montréal ne formant qu'une seule et même seigneurie. A Québec, lorsque l'État décida qu'il n'y aurait plus à l'avenir concession de seigneurie à l'intérieur des murs ni dans la banlieue immédiate, il y avait déjà le fief du Sault-au-Matelot : il demeurera le seul dans Québec, le reste de la ville étant réparti en censives qui relèvent soit du roi soit d'institutions.

79—The Geographic Location of Seigniories in 1760: The Fiefs and *Censives* of Quebec

(map plotted by J.-Ant. Pelletier; Archives of the Province of Quebec)

Since the entire island of Montreal comprised a single seigniory, there was no seigniorial subdivision of the town of Montreal. In Quebec, when the State decided that there should in future be no seigniorial concessions granted within the walls nor in the immediately surrounding area, the fief of Sault-au-Matelot was already in existence. It was to remain the only one within Quebec, the rest of the town being divided into *censives* or parcels of land held on conditional grant, in this case from the King or from institutions.

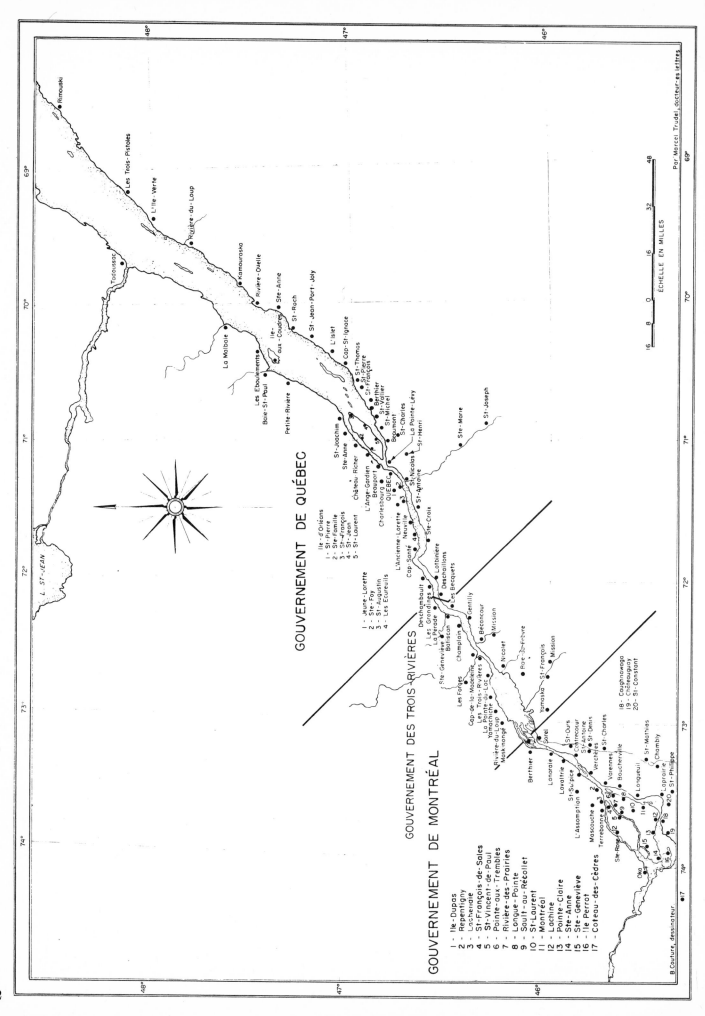

GOUVERNEMENT DE QUÉBEC

Île-d'Orléans
1 - St-Pierre
2 - Ste-Famille
3 - St-François
4 - St-Jean
5 - St-Laurent

1 - Jeune-Lorette
2 - Ste-Foy
3 - St-Augustin
4 - Les Écureuils

GOUVERNEMENT DES TROIS-RIVIÈRES

GOUVERNEMENT DE MONTRÉAL

1 - Île-Dupas
2 - Repentigny
3 - Lachenaie
4 - St-François-de-Sales
5 - St-Vincent-de-Paul
6 - Pointe-aux-Trembles
7 - Rivière-des-Prairies
8 - Longue-Pointe
9 - Sault-au-Récollet
10 - St-Laurent
11 - Montréal
12 - Lachine
13 - Pointe-Claire
14 - Ste-Anne
15 - Ste-Geneviève
16 - Île Perrot
17 - Coteau-des-Cèdres
18 - Caughnawaga
19 - Châteauguay
20 - St-Constant

ÉCHELLE EN MILLES

Par Marcel Trudel, docteur-ès-lettres

B.Couture, dessinateur.

182

80 — Les divisions administratives

(carte tracée par Marcel Trudel)

La Nouvelle-France laurentienne ou Canada est divisée en trois Gouvernements, chacun dirigé par un gouverneur qu'assistent un lieutenant de roi et un état-major : Québec, les Trois-Rivières et Montréal.

Chaque Gouvernement est subdivisé en paroisses : la paroisse a pour chef religieux le curé; pour chef civil et militaire, le capitaine de milice.

80—Administrative Districts

(map drawn by Marcel Trudel)

Canada, or New France of the St. Lawrence, was divided into three *Gouvernements* or administrative districts, namely Quebec, Trois-Rivières and Montreal; each was presided over by a governor with the assistance of a deputy governor and a staff.

Each district was subdivided into parishes; each parish had a curé as its religious head and a captain of militia who was the local authority in both civil and military matters.

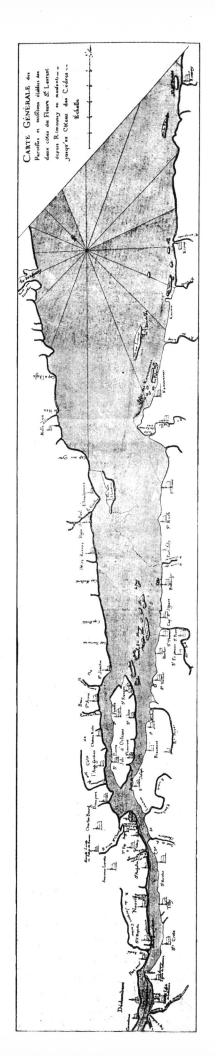

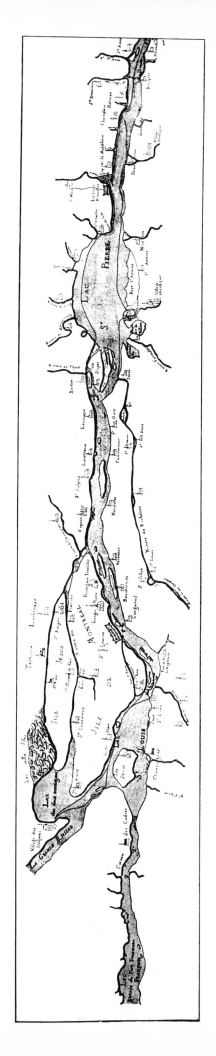

81 — Les paroisses à la fin du régime français

(Archives du Séminaire de Québec)

Cette carte, qui est de la fin du XVIIIe siècle, correspond assez exactement à la situation des dernières années du régime français; il n'y manque que la Nouvelle-Beauce (dite aujourd'hui *Beauce*).

81—The Parishes toward the End of the French Régime

(Archives of the Quebec Seminary)

This map, drawn toward the end of the French régime, corresponds closely to the situation during the last years of the French régime. Only Nouvelle-Beauce is missing (known today as *Beauce*).

SIXIÈME PARTIE

Les villes de la Nouvelle-France

PART SIX

The Cities and Towns of New France

Pointe de Rochefort

LE POR

Grand Etang

Le Quay

Place d'Arme

Faubourg

PLAN DE LA VILLE DE LOUISBOURG dans l'Isle Royale

A. Porte Dauphine et Corps de Garde
B. Porte de la Reine
C. Porte de Maurepas
D. Bastion Dauphin et Magasin a Poudre
E. Bastion du Roy, Casernes, Logement du Gouverneur et des Officiers
f. Bastion de la Reine
G. Bastion de la Princesse
H. Bastion Brouilla
J. Bastion de Maurepas
K. Magasins des vivres &.ª
L. Logement de l'ordonnateur &.ª
M. Hopital du Roy
N. La Parroisse et les Recolets
O. Les Sœurs de Notre Dame.

Echelle de Deux Cent Toises.

Voyez la Carte de l'Isle Royale N.º 22.
Voyez le Plan du Port de Louisbourg N.º 23.
188

82 — L'Acadie : Louisbourg

(plan de BELLIN, reproduit de l'*Atlas maritime : l'Amérique septentrionale*, éd. 1764, N⁰ 24)

Ville-forteresse, Louisbourg a été édifiée à partir de 1714 pour remédier, du côté du golfe, au désastreux traité d'Utrecht qui enlevait à la France la péninsule de la Nouvelle-Écosse. Prise en 1745, rendue en 1748 et reprise en 1758, cette ville-forteresse fut finalement rasée.

82—Acadia: Louisbourg

(map by BELLIN, reproduced from *Atlas maritime: l'Amérique septentrionale*, 1764 ed., No. 24)

The building of the fortified town of Louisbourg was begun in 1714. It was intended to protect the Gulf and counter the disastrous effects of the Treaty of Utrecht, by which France had been deprived of the peninsula of Nova Scotia. Captured in 1745, restored in 1748 and recaptured in 1758, the town and fortifications were finally razed.

Les chiffres montrent les brasses d'eau.

A Le lieu où l'habitation est bastie (1).
B Terre defrichée où l'on seme du bled & autres grains (2).
C Les jardinages (3).
D Petit ruisseau qui vient de dedans des marescages (4).
E Riuiere (5) où hyuerna Iaques Quartier, qui de son temps la nomma saincte Croix, que l'on a transferé à 15. lieues audessus de Quebec.

F Ruisseau des marais (6).
G Le lieu où l'on amassoit les herbages pour le bestail que l'on y auoit mené (7).
H Le grand faut de Montmorency qui descent de plus de 25. brasses de haut dans la riuiere (8).
I Bout de l'isle d'Orleans.
L Pointe fort estroite (9) du costé de l'orient de Quebecq:
M Riuiere bruyante, qui va aux Ete-

chemains.
N La grande riuiere S. Laurens.
O Lac de la riuiere bruyante.
P Montaignes qui font dans les terres; baye que i'ay nommé la nouuelle Bisquaye.
Q Lac du grand faut de Montmorency (10).
R Ruisseau de lours (11).
S Ruisseau du Gendre (12).
T Prairies qui font inondées des eaux

à toutes les marées.
V Mont du Gas (13) fort haut, sur le bort de la riuiere.
X Ruisseau courant, propre à faire toutes sortes de moulins.
Y Coste de grauier, où il se trouue quantité de diamants vn peu meilleurs que ceux d'Alanson.
Z La pointe aux diamants.
9 (14) Lieux où souuent cabannent les sauuages.

83 — Le Canada : Québec en 1613

(reproduit des *Œuvres* de CHAMPLAIN, éd. Laverdière, vol. III, p. 148)

Tracé à la fin de 1613, ce dessin est la plus ancienne représentation de Québec et de ses environs. Cédée en 1612 par Du Gua de Monts au comte de Soissons, puis au prince de Condé, l'Habitation, qui n'est encore qu'un entrepôt à fourrures, est maintenant soutenue par une société de marchands de Rouen et de Saint-Malo. Le point le plus élevé du Cap-aux-Diamants (noter que Champlain indique l'endroit où il y a « quantité de diamants ») porte le nom de Du Gua de Monts.

83—Canada: Quebec in 1613

(reproduced from *Œuvres de Champlain*, Laverdière, ed., Vol. III, p. 148)

This map, drawn late in 1613, is the earliest representation of Quebec and its surroundings. Granted in 1612 by Du Gua de Monts to the Comte de Soissons, then to the Prince de Condé, the *Habitation,* which was still no more than a storehouse for furs, was at this time maintained by a company of Rouen and St. Malo merchants. The highest point, Cape Diamond, bears the name of Du Gua de Monts. It will be noted that Champlain indicates where "quantities of diamonds" are to be found.

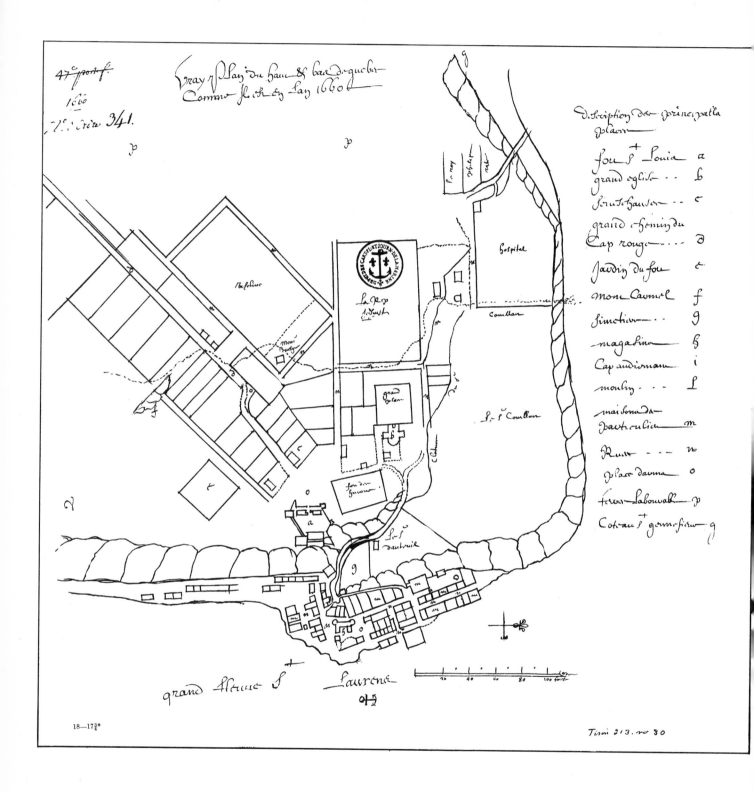

84 — Le Canada : Québec en 1660

(plan de Jean Bourdon : Archives du Séminaire de Québec)

La capitale de la Nouvelle-France est le siège des institutions seigneuriales des Cent-Associés et d'un vicariat apostolique.

Elle est formée d'une basse-ville, enserrée entre le fleuve et la falaise, et d'une haute-ville qui est encore ouverte du côté de l'ouest.

84—Canada: Quebec in 1660

(map by Jean Bourdon; Archives of the Quebec Seminary)

The capital of New France was the seigniorial seat of the Hundred Associates and the see of a vicar apostolic.

It consisted of a Lower Town huddled between the cliffs and the river, and an Upper Town still unenclosed toward the west.

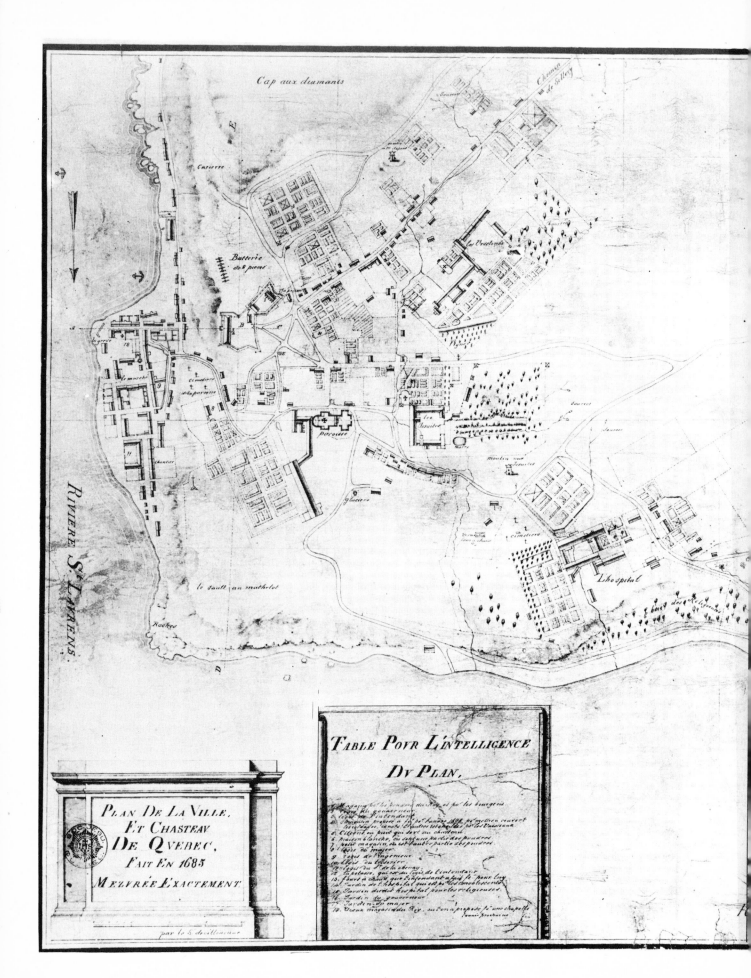

Cap aux diamants

Chemin de Silley

Batterie de 8 pieces

Riviere St. Lavrens

le sault au mathelot

Rockes

L'hospital

TABLE POVR L'INTELLIGENCE
DV PLAN.

194

85 — Le Canada : Québec en 1685

(plan de Villeneuve en 1685 : Archives du Séminaire de Québec)

La haute-ville s'étend peu à peu vers l'ouest, mais elle n'est pas encore enclose en des fortifications.

85—Canada: Quebec in 1685

(map of 1685 by Villeneuve; Archives of the Quebec Seminary)

The Upper Town is extending little by little toward the west, but it is not yet enclosed by fortifications.

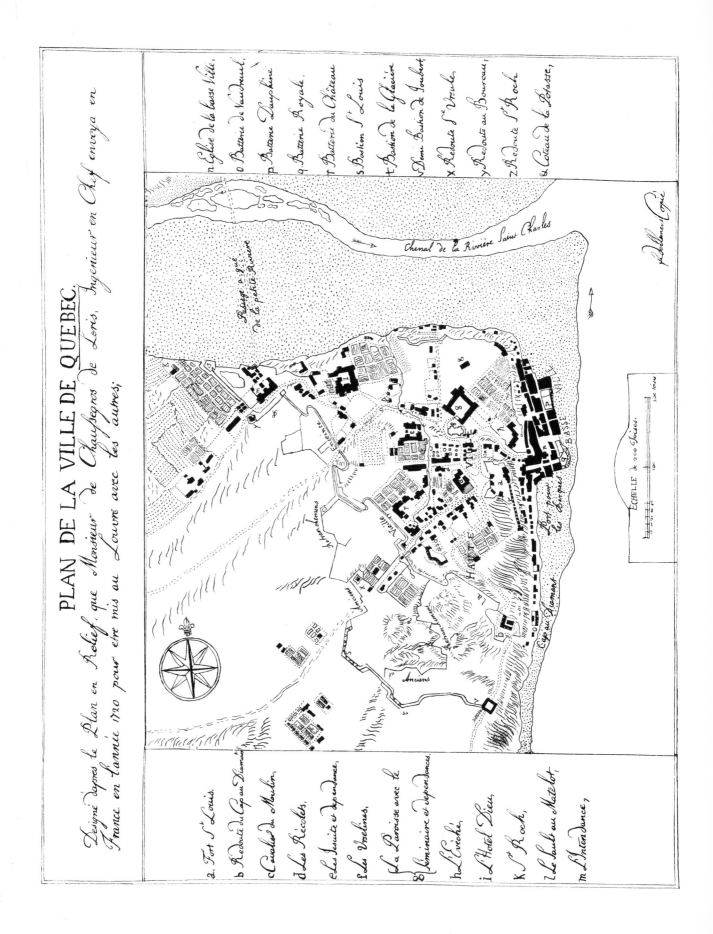

PLAN DE LA VILLE DE QUEBEC.

Designé d'après le Plan en Relief, que Monsieur de Chaussegros de Leris, Ingénieur en Chef, envoya en France en l'année 1720 pour être mis au Louvre avec les autres;

n. Église de la Basse Ville,
o. Batterie de Vaudreuil,
p. Batterie Dauphine,
q. Batterie Royale,
r. Batterie du Chateau,
s. Bastion St Louis,
t. Bastion de la Glacière,
v. Demi Bastion de Joubert,
x. Redoute Ste Ursule,
y. Redoute au Bourceur,
z. Redoute St Roch,
&. Côteau de Ste Brasse,

a. Fort St Louis,
b. Redoute du Cap au Diamant,
c. Cuchis du Moulin,
d. Les Récolets,
e. Les Jesuits et dépendance,
f. Les Ursulines,
g. La Paroisse avec le
8. Seminaire et dépendances,
h. L'Évêche,
i. L'Hotel Dieu,
k. St Roch,
l. Le Sault au Matelot,
m. L'Intendance,

Chenal de la Rivière Saint Charles

Plage Ste gue de la petite Rivière

BASSE VILLE

HAUTE VILLE

ECHELLE de 200 Toises.

86 — Le Canada : Québec en 1720

(plan de Chaussegros de Léry en 1720 : Archives du Séminaire de Québec)

A la fin du XVIIe siècle, on avait érigé une première enceinte pour protéger la ville du côté de l'ouest : c'est celle que Chaussegros de Léry appelle ici *Vieille Enceinte*. Il propose, en ce plan, des retouches considérables que l'on ne terminera que vers 1749.

86—Canada: Quebec in 1720

(map of 1720 by Chaussegros de Léry; Archives of the Quebec Seminary)

Late in the 17th century, the first fortified wall was built to protect the western exposure of the city; this is what Chaussegros de Léry has labelled *Vieille Enceinte*. On this map he outlines some important alterations which were not to be completed until about 1749.

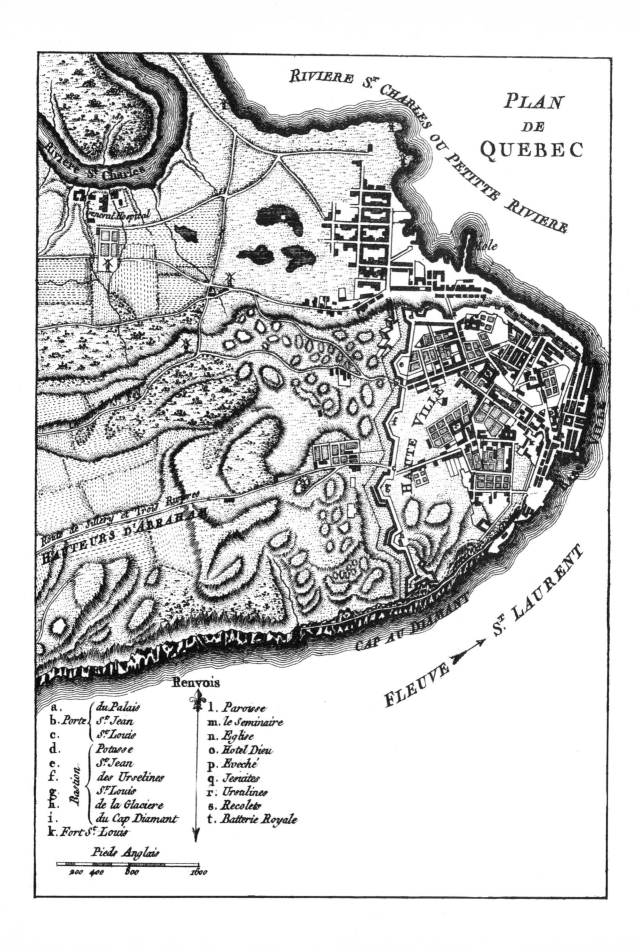

PLAN
DE
QUEBEC

RIVIERE St CHARLES OU PETITE RIVIERE

Riviere St Charles

General Hospital

HAUTE VILLE

Route de Sillery et Trois Rivieres

HAUTEURS D'ABRAHAM

Cap au Diamant

FLEUVE St LAURENT

Renvois

a.   du Palais
b. Porte St Jean
c.   St Louis
d.   Potasse
e.   St Jean
f. Bastion des Urselines
g.   St Louis
h.   de la Glaciere
i.   du Cap Diamant
k. Fort St Louis

l. Parousse
m. le Seminaire
n. Eglise
o. Hotel Dieu
p. Eveché
q. Jesuites
r. Ursalines
s. Recolets
t. Batterie Royale

Pieds Anglais

200 400 800 1600

87 — Le Canada : Québec à la fin du régime français

(plan de Carver en 1763, publié en français par Le Rouge en 1777 : Archives du Séminaire de Québec)

C'est l'un des plans les plus précis des fortifications de Québec à la fin du régime français.

De 1820 à 1832, on refera le système défensif de Québec, en suivant de près l'ancien plan de Chaussegros de Léry et en ajoutant quatre tours Martello. A la fin du XIXe siècle, on démolira les portes de la ville et on en reconstruira trois (Saint-Louis, Kent et Saint-Jean) dans un style qui n'a rien de conforme à la tradition militaire du Canada.

87—Canada: Quebec at the End of the French Régime

(map of 1763 by Carver, published in French by Le Rouge in 1777; Archives of the Quebec Seminary)

This is one of the most detailed maps of the fortifications of Quebec at the end of the French régime.

The defense works of Quebec were to be rebuilt between 1820 and 1832, closely following the old trace as shown on Chaussegros de Léry's map, with the addition of four Martello towers. Late in the 19th century, the gates of the city were dismantled and three were built (St. Louis, Kent and St. John's) in a style quite foreign to Canadian military tradition.

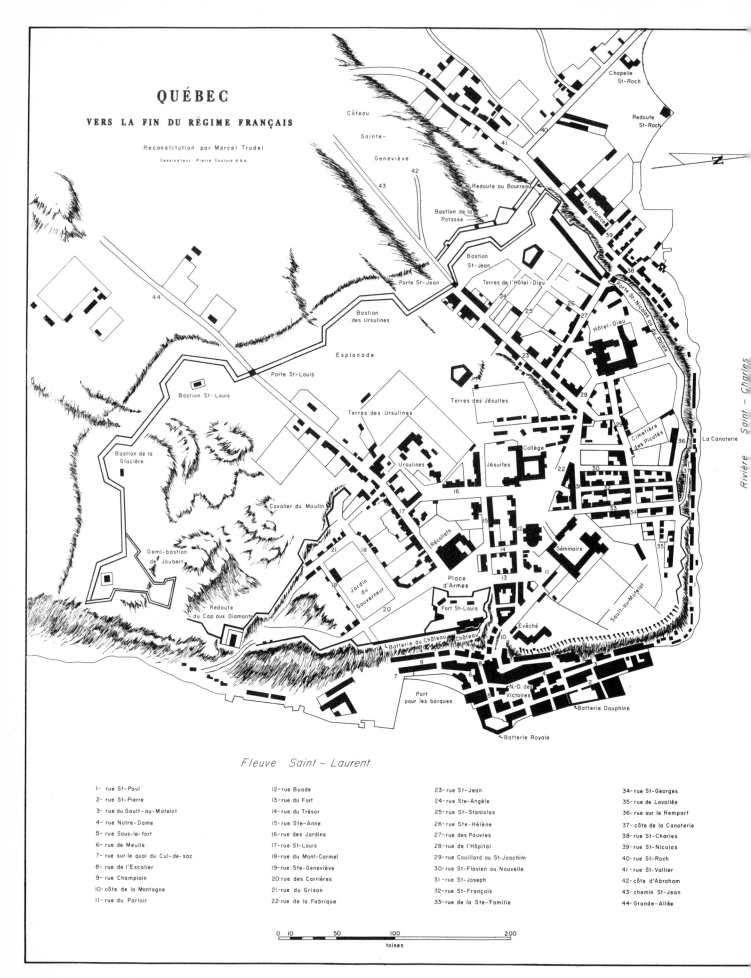

QUÉBEC

VERS LA FIN DU RÉGIME FRANÇAIS

Reconstitution par Marcel Trudel

Dessinateur: Pierre Couture d.b.a

Côteau
Sainte-
Geneviève

Chapelle
St-Roch

Redoute
St-Roch

Redoute au Bourreau

Bastion de la
Potasse

Intendance

Bastion
St-Jean

Porte St-Jean

Terres de l'Hôtel-Dieu

Porte St-Nicolas ou du Palais

Bastion
des Ursulines

Hôtel-Dieu

Esplanade

Porte St-Louis

Terres des Jésuites

Bastion St-Louis

Cimetière
des Picotés

La Canoterie

Terres des Ursulines

Collège

Bastion de la
Glacière

Ursulines

Jésuites

Cavalier du Moulin

Récollets

Séminaire

Demi-bastion
de Joubert

Jardin
du
Gouverneur

Place
d'Armes

Sault-au-Matelot

Redoute
du Cap aux Diamants

Fort St-Louis

Évêché

Batterie du Château

Château

Port
pour les barques

N.-D. des
Victoires

Batterie Dauphine

Batterie Royale

Rivière Saint-Charles

Fleuve Saint-Laurent

1- rue St-Paul	12- rue Buade	23- rue St-Jean	34- rue St-Georges
2- rue St-Pierre	13- rue du Fort	24- rue Ste-Angèle	35- rue de Lavallée
3- rue du Sault-au-Matelot	14- rue du Trésor	25- rue St-Stanislas	36- rue sur le Rempart
4- rue Notre-Dame	15- rue Ste-Anne	26- rue Ste-Hélène	37- côte de la Canoterie
5- rue Sous-le-fort	16- rue des Jardins	27- rue des Pauvres	38- rue St-Charles
6- rue de Meulle	17- rue St-Louis	28- rue de l'Hôpital	39- rue St-Nicolas
7- rue sur le quai du Cul-de-sac	18- rue du Mont-Carmel	29- rue Couillard ou St-Joachim	40- rue St-Roch
8- rue de l'Escalier	19- rue Ste-Geneviève	30- rue St-Flavien ou Nouvelle	41- rue St-Vallier
9- rue Champlain	20- rue des Carrières	31- rue St-Joseph	42- côte d'Abraham
10- côte de la Montagne	21- rue du Grison	32- rue St-François	43- chemin St-Jean
11- rue du Parloir	22- rue de la Fabrique	33- rue de la Ste-Famille	44- Grande-Allée

0 10   50   100   200
toises

88 — Le Canada : reconstitution de Québec à la fin du régime français

(par Marcel Trudel)

Faite d'après d'anciens plans, cette reconstitution essaie de représenter le paysage urbain et militaire de la ville de Québec vers 1760.

88—Canada: A Reconstruction of Quebec at the End of the French Régime

(by Marcel Trudel)

This reconstruction, drawn after a number of old maps, is an attempt to show the urban and military features of Quebec about 1760.

Renvois — pour l'intelligence des maisons et jardins de la ville

1 La Paroisse et presbitaire avec les dependances
2 Le recolet avec les sien
3 Les Ursulines avec leur dependances
4 Maison app. aux ursulines ou le gouverneur fait le quartier
5 Maison au S. Le Commencent avec les dependances
6 Maison à madame Seigneuresse avec les jardin
7 Maisons au Clive
8 Maison à la Villa petites avec les dependances
9 Maison amotte
10 Maison à madame de grandprie avec les dependances
11 Maison à Duguay avec les dependances
12 Maison à M. allongue avec les dependances
13 Maison avant porobis avec les dependances
14 Maison à M. le Gaumarque avec les dependances
15 Maison à M. de Candit avec les dependances
16 Maison à M. Perrier pont avec les dependances
17 Maison au amiau avec les dependances
18 Maison à bellegarde
19 Jardins appartenans particulier
20 Jardin et maison à Brimeau
21 Maison au S. amant et sa ferry
22 Maison au S. petis
23 Maison au S. Ormel avec les dependances
24 Maison au marché avec les dependances
25 Maison à la ferrerie avec les dependances
26 Maison à longueil avec les dependances
27 Maison à tilly avec les dependances
28 Maison à la croisière avec les dependances
29 Maison à grandmont avec les dependances
30 Maison à dermeau caville dependances
31 Maison au S. Portal avec les dependances
32 Maison au S. faillon avec les dependances
33 Coutumes à Bourgogne
34 Chapelle

Plan de la Ville des 3 Rivieres Leué en l'année 1704

A Vieille Enceinte
B Nouvelle enceinte dont le projet doit s'executer
C Magazin aux poudres Bastis de colombage
D agrandissement fait au fort des moulins et dont la courtine R. a traver R. par cui l'ont passer sur la ravine cote R. a traver R. la quelle ravine on a esté obligé de faire la ligne S. pour l'écoulier, jusqu'à ce que les particuliers a qui ap- partiennent les terrains l'ayent comblé
E Moulin à Vent à transporté dans le gros du fort a la place où il est marqué qui est faible afin ce moulin n'estant construit que de bois

Tout ce qui est marqué en jaune se notent ce qui ce veut faire

Fleuve St Laurens

Restauré par
le D...

89 — Le Canada : les Trois-Rivières en 1704

(plan de 1704 : Archives du Séminaire de Québec)

Ce plan anonyme, restauré au XIXe siècle, présente l'état des Trois-Rivières en 1704, de cette petite capitale qui ne se développera guère, puisqu'à la fin du régime français elle ne compte pas 600 habitants.

Il faut remarquer que les fortifications que l'on a ici dessinées ne sont en 1704 qu'un projet et que ce projet n'aura pas de suite. Son enceinte de pieux sera incendiée en 1752 sans être remplacée : Trois-Rivières demeurera une ville ouverte.

89—Canada: Trois-Rivières in 1704

(map of 1704; Archives of the Quebec Seminary)

This anonymous map, restored in the 19th century, shows Trois-Rivières as it was in 1704, a little district capital which was destined to make very little progress, since at the end of the French régime its population was still fewer than 600.

It should be noted that the fortifications shown here were only a plan in 1704, and one which was never executed. In 1752, the wooden palisade was burned and not replaced; Trois-Rivières was to remain an open city.

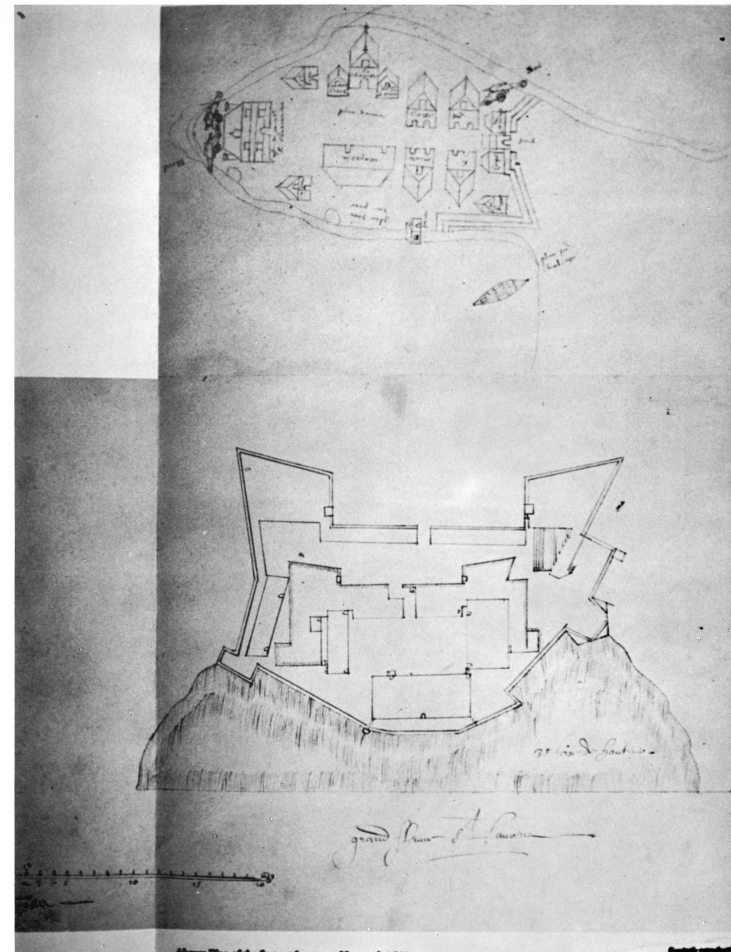

grand plan S.t Louis

3e Ligne de hauteur

Above: Plan of the first settlement at Montreal, 1642

Below: Another version, possibly, of Plan 1.

Facsimile reproduced
from the original in the McGill University Library
Lithographed by Cambridge Press Limited, Montreal

90 — Le Canada : Montréal à ses débuts

(plan de Jean Bourdon, reproduit de *Plans of the First French Settlements on the Saint Lawrence,* publiés par la Bibliothèque de l'Université McGill en 1958)

Ce plan, retrouvé parmi les manuscrits de Jean Bourdon, représente en 1647 le premier fort établi à Montréal. Il était situé sur le fleuve, au sud de l'embouchure du canal de Lachine, près de la jetée Mackay.

A l'extrémité ouest, la résidence du gouverneur; au nord, la chapelle et les demeures du clergé, face au magasin; à l'est, les maisons des habitants et les boutiques.

90—Canada: Montreal in Its Infancy

(map by Jean Bourdon, reproduced from *Plans of the First French Settlements on the St. Lawrence,* published by the McGill University Library in 1958)

This map, found among Jean Bourdon's manuscripts, shows the first fort built at Montreal as it appeared in 1647. It was situated on the river, south of the lower end of the Lachine Canal near Mackay Pier.

At the extreme west is the governor's residence; to the north are the chapel and the living quarters of the clergy, opposite the king's store; to the east are small shops and the *habitants'* houses.

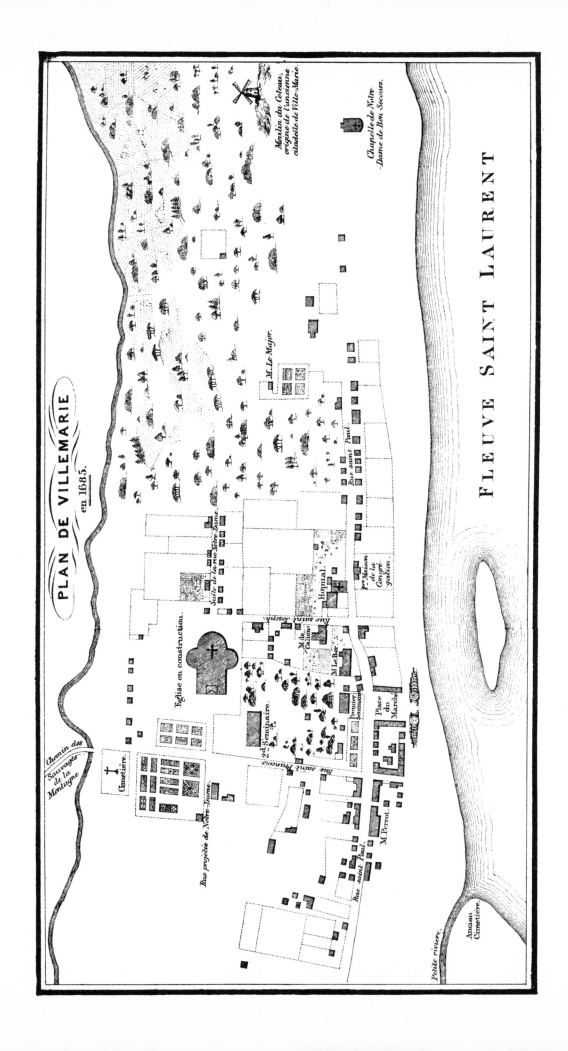

PLAN DE VILLEMARIE
en 1685.

FLEUVE SAINT LAURENT

91 — Le Canada : Montréal en 1685

(ancien plan restauré : Archives du Séminaire de Québec)

Tout le cours du XVIIᵉ siècle, Montréal n'est protégée que par une enceinte de pieux.

La petite rivière qui coule au nord est aujourd'hui disparue : son lit coïncide à peu près avec la rue Craig.

91—Canada: Montreal in 1685

(an old map restored; Archives of the Quebec Seminary)

Throughout the 17th century, Montreal was protected only by a wooden palisade.

The little river running north of the settlement has disappeared today; its bed coincided approximately with the present Craig Street.

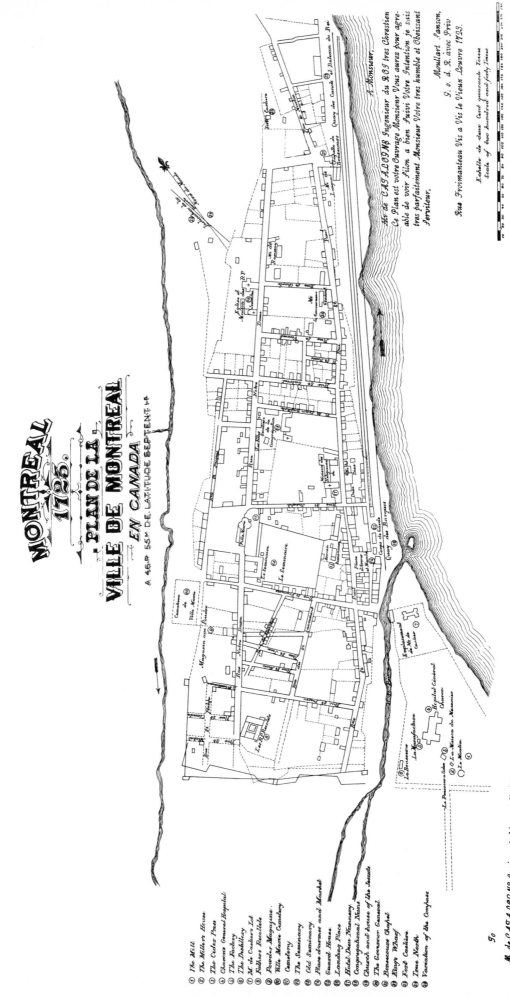

MONTREAL 1725.

PLAN DE LA VILLE DE MONTREAL
EN CANADA

A 45.R 55.M DE LATITUDE SEPTENT.L

① The Mill
② The Millers House
③ The Cedar Pass
④ General Hospital:
⑤ The Factory
⑥ M. de Couture Lot
⑦ Falkers Recollets
⑧ Powder Magazine
⑨ Ville Marie Cemetery
⑩ Cemetery
⑪ The Seminary
⑫ Old Seminary
⑬ Place Darmes and Market
⑭ Guard House
⑮ Landing Place
⑯ Hotel Dieu Nunnery
⑰ Congregational Nuns
⑱ Church and House of the Jesuits
⑲ The Governor Casacal
⑳ Bonsecours Chapel
㉑ Kings Wharf
㉒ Kents Castiou
㉓ Iron Nails
㉔ Vancohue of the Compass

To

M. de CASA.LOSNS Engineer to his most Christian
Majesty. This plan, your work, Sir, you will please see if
your intention has been strictly adh...red to. I am very
truly, Sir, your most humble and obedient servant

Morillart Sanson
S. o. d. R. with Privilege

Froismanteau Street opposite to the old Louvre 1723

A. Monsieur,

M. de CASA.LOSNS Ingenieur du ROY tres Christien
Ce Plan est votre Ouvrage Monsieur Vous aurez pour agre-
able de voir Silom a bien Suivi Votre Intention je suis
tres parfaitement Monsieur Votre tres humble et Obeissant
Serviteur,

Morillart Sanson,
S. o. d. R. avec Priv

Rue Froismanteau Vis a Vis le Vieux Louvre 1723.

Eschelle de deux Cent quarante Toises
Scale of two hundred and forty Toises

92 — Le Canada : Montréal en 1723

(d'après un plan de Gédéon de Catalogne : reproduit de BEAUGRAND, *Le vieux Montréal*, éd. 1884)

C'est en 1716 qu'on décida d'entourer Montréal d'une muraille de pierre : elle ne sera terminée qu'en 1741.

92—Canada: Montreal in 1723

(from a map by Gédéon de Catalogne; reproduced from BEAUGRAND, *Le vieux Montréal*, 1884 ed.)

It was in 1716 that the decision was made to build a stone wall around Montreal. It was not completed until 1741.

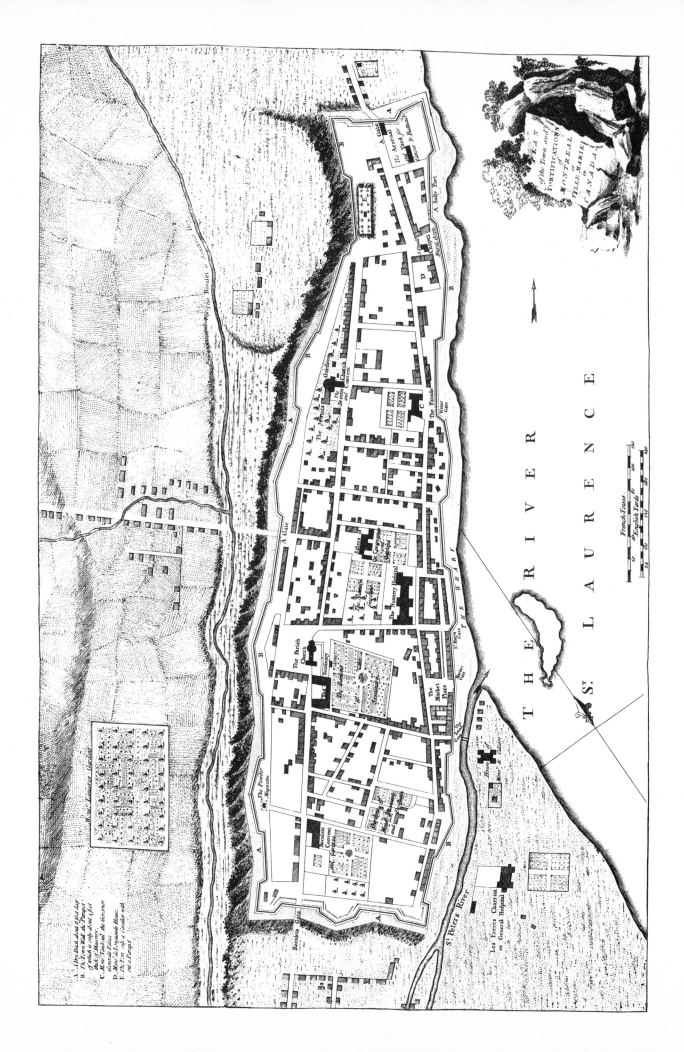

A PLAN of the Town and FORTIFICATIONS of MONTREAL or VILLE MARIE in CANADA

THE RIVER S.t LAURENCE

French Toises

English Yards

A. A Dry Ditch about of feet deep
B. The Town Wall the Parapet of which is only about of feet thick of Masonry
C. Hous Fields
D. Mons. de la commande Houses
E. The Fort with a Cavalier made out of Parapet

Recolets Gate

The Parish Church

Seminary

A Gate

Sisters of the Congregation Hospital

The Nunnery Hospital

Jesuits Church and Convent

Gardens

The Parade

Water Gate

A Gate

The Arsenal or Yard for Cannon &c Batteaux

A Sally Port

The Market Place

S.t Martin's Gate

St Peter's River

Les Freres Charron or General Hospital

THE WHARF

Recolets Gate

The Powder Magazine

210

93 — Le Canada : Montréal en 1760

(plan anglais publié dans Jefferys, *The Natural and Civil History of the French Dominions in America,* éd. 1760, p. 12)

Ce plan nous montre avec netteté le système de fortifications de Montréal avec ses remparts, ses bastions et ses portes; la ville est même protégée d'une petite citadelle, à l'est. Cette ville fortifiée couvrait à peu près le territoire compris entre le fleuve et la rue Craig, d'une part, et les rues Amhest et McGill, d'autre part.

Ces remparts qui n'avaient jamais subi un seul bombardement seront démolis de main d'homme au cours du XIXe siècle; la citadelle même sera rasée pour combler les marécages des environs.

93—Canada: Montreal in 1760

(an English map published in Jefferys, *The Natural and Civil History of the French Dominions in America,* 1760 ed., p. 12)

This map clearly shows the defense works of Montreal, with its ramparts, bastions and gates; a small citadel in the eastern end affords further protection. Thus fortified, the city covered approximately the area that lies between the river and Craig Street and between Amherst and McGill Streets.

These ramparts, which had never suffered a single bombardment, were deliberately dismantled during the 19th century. Even the citadel was razed to provide fill for nearby swampy ground.

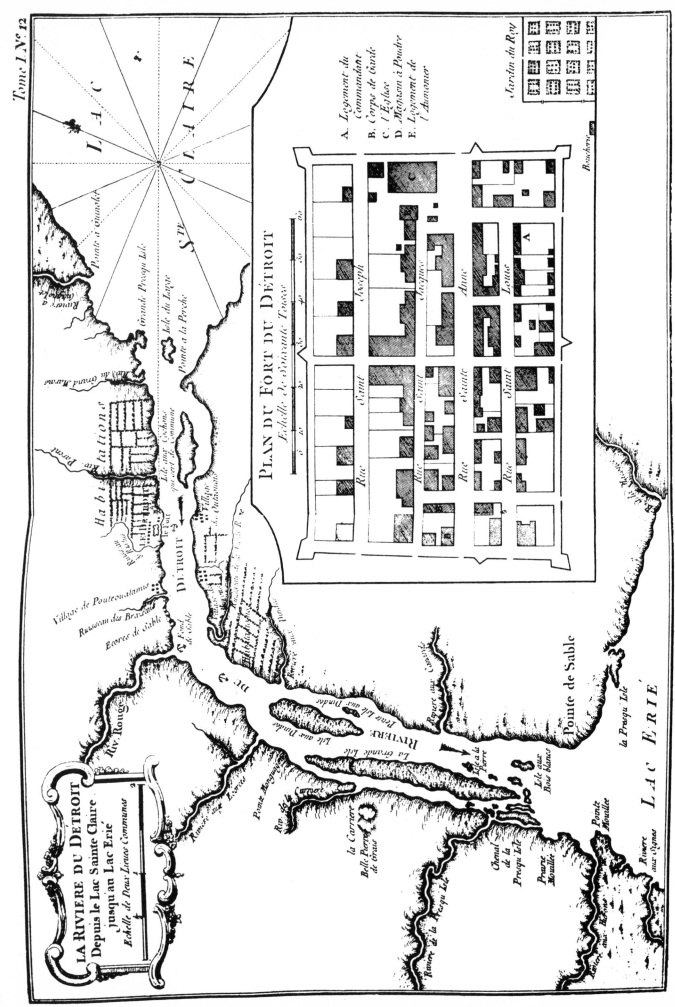

L A C

S.ᵗᵉ C L A I R E

Pointe a chandel.

Riviere a Mondelon

Grande Presqu Isle

Isle du Large

Pointe a la Perche

Isle du Grand Marais

Isle aux Pivain

Habitations

Riviere au Fort

Isle aux Cochons qui sert de Commune

le Fort

Village des Outaouais

DÉTROIT

Village de Pouteouatamis

Ruisseau des Brazans

Ecorce de Sable

Fond de Sable

Riv. Rouge

DE

RIVIERE

Pointe Mongwaga

Riv. des

la Carriere

Belle Pierre de craie

Pointe Lak aux Dindes

Isle aux Dindes

La Grande Isle

Isle a la Pierre

Isle aux Bois blancs

Isle aux Escores

Rapier aux Canards

Pointe de Sable

la Presqu Isle

L A C   É R I E

Chenal de la Presqu Isle

Prairie Mouillée

Ravière de la Presqu Isle

Pointe Mouillée

Rivière aux Cygnes

PLAN DU FORT DU DÉTROIT

Echelle de Soixante Toises

A. Logement du Commandant
B. Corps de Garde
C. l'Eglise
D. Magasin à Poudre
E. Logement de l'Aumonier

Jardin du Roy

Boucherie

Rue   Saint   Joseph

Rue   Saint   Jacques

Rue   Sainte   Anne

Rue   Saint   Louis

A

B

LA RIVIERE DU DÉTROIT
Depuis le Lac Sainte Claire
Jusqu'au Lac Erie
Echelle de Deux Lieues Communes

94 — Les Pays d'en haut : Détroit

(reproduit de BELLIN, *L'Atlas maritime : l'Amérique septentrionale*, éd. 1764, N° 12)

Capitale civile et militaire des Pays d'en haut (c'est-à-dire de la région des Grands Lacs), l'établissement *du Détroit* a été fondé en 1701 et érigé en paroisse en 1744. Il est sous l'autorité d'un commandant, le projet d'un Gouvernement étant survenu trop tard pour mettre en place les cadres que nous avons rencontrés à Québec, aux Trois-Rivières et à Montréal.

Détroit comprend Sainte-Anne-du-Détroit (ce sont le fort et la paroisse), dont le ministère est assuré par les Récollets, et la Pointe-de-Montréal ou l'Assomption, sur la rive gauche, mission jésuite. En 1751, Détroit ne compte que 600 habitants.

94—*Les Pays d'en haut* or Great Lakes Region: Detroit

(reproduced from BELLIN, *Atlas maritime: l'Amérique septentrionale*, 1764 ed., No. 12)

The civil and military capital of the *Pays d'en haut,* that is to say the Great Lakes region, was the settlement of *Detroit,* founded in 1701 and raised to the status of parish in 1744. Its military commander was the chief authority, since a plan for the creation of a *Gouvernement* similar to those of Quebec, Trois-Rivières and Montreal had been proposed too late for the establishment of the necessary administrative structure.

Detroit included Sainte-Anne-du-Détroit (the fort and the parish), where the Récollets were responsible for the ministry of the Church, and Pointe-de-Montréal or l'Assomption on the eastern shore, which was a Jesuit Mission. The population of Detroit in 1751 was only 600.

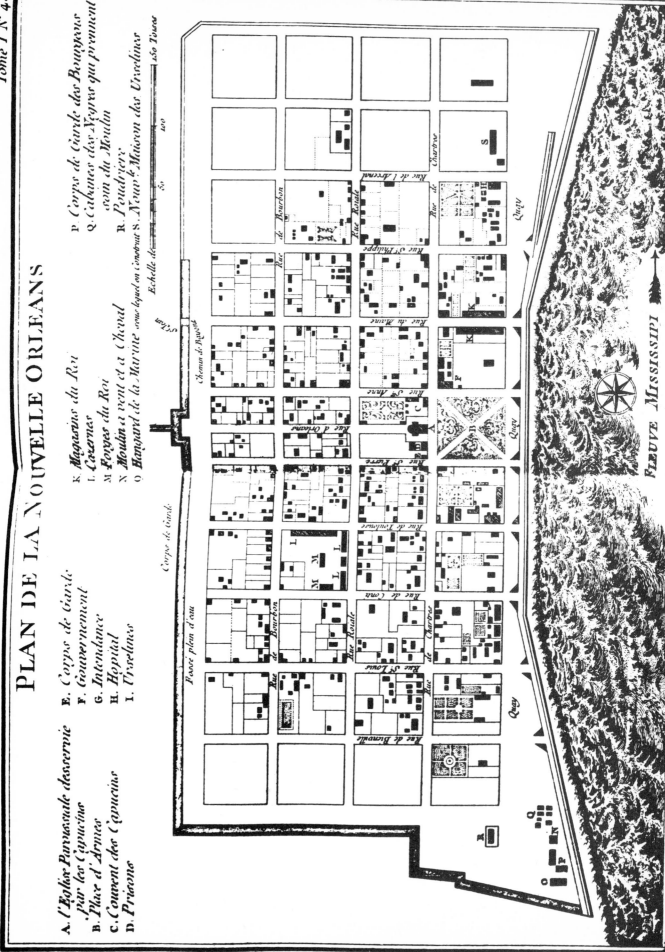

PLAN DE LA NOUVELLE ORLEANS

A. l'Eglise Paroissiale desservie
   par les Capucins
B. Place d'Armes
C. Couvent des Capucins
D. Prisons

E. Corps de Garde
F. Gouvernement
G. Intendance
H. Hôpital
I. Ursulines

K. Magasins du Roi
L. Caserne
M. Forges du Roi
N. Moulin à vent et à Cheval
O. Hangard de la Marine sous lequel on construit

P. Corps de Garde des Bourgeois
Q. Cabanes des Negres qui prennent
   soin du Moulin
R. Poudriere
S. Neuve Maison des Ursulines

Echelle de _____ 150 Toises

FLEUVE MISSISSIPI

95 — La Louisiane : Nouvelle-Orléans

(plan de BELLIN, reproduit de l'*Atlas maritime : l'Amérique septentrionale*, éd. 1764, No 45)

Fondée en 1718 entre le Mississipi et le lac Pontchartrain, la Nouvelle-Orléans est une ville en carré, où les rues comme à Détroit et à Philadelphie se croisent à angle droit. Capitale de la Louisiane, elle compte quelque mille habitants, outre les esclaves. Le ministère spirituel est assuré par les Jésuites et les Capucins; des Ursulines se consacrent à l'éducation des jeunes filles et à l'hospitalisation.

95—Louisiana: New Orleans

(map by BELLIN, reproduced from *Atlas maritime: l'Amérique septentrionale*, 1764 ed., No. 45)

New Orleans, founded in 1718 between the Mississippi and Lake Pontchartrain, was laid out in neat squares, its streets intersecting at right angles. as in Detroit and Philadelphia. It was the capital of Louisiana, with a population of about a thousand. not counting slaves. The spiritual ministry was shared by the Jesuits and the Capuchins, while the Ursulines were in charge of girls' education and the hospital.

INDEX

ACHEVÉ D'IMPRIMER
à la lithographie offset
TREMBLAY & DION Inc.
imprimeurs à Québec
le 10 août 1968

Dépôt légal, 3e trimestre 1968